KB187637

에스페란토의 변하지 않는 규칙

FUNDAMENTO DE ESPERANTO
에스페란토 규범

L. L. ZAMENHOF
루도비코 라자로 자멘호프 지음
문학박사 박기완 번역·해설

에스페란토 규범

인　쇄 : 2023년 7월 10일 초판 1쇄
발　행 : 2023년 7월 17일 초판 1쇄
지은이 : 루도비코 라자로 자멘호프
옮기고 해설한 이 : 박기완
펴낸이 : 오태영(Mateno)
출판사 : 진달래
신고 번호 : 제25100-2020-000085호
신고 일자 : 2020.10.29
주　소 : 서울시 구로구 부일로 985, 101호
전　화 : 02-2688-1561
팩　스 : 0504-200-1561
이메일 : 5morning@naver.com
인쇄소 : TECH D & P(마포구)

값 : 15,000원
ISBN : 979-11-91643-95-4 (03890)
© 박기완

에스페란토의 변하지 않는 규칙

FUNDAMENTO DE ESPERANTO
에스페란토 규범

루도비코 라자로 자멘호프 지음

Traduko kaj Klarigo : D-ro BAK Giwan

문학박사 박기완 번역·해설

진달래 출판사

(Eldonejo Azalea)

L. L. ZAMENHOF
(루도비코 라자로 자멘호프)

차 례

번역·해설자 서문

에스페란토 〈제1서〉와 〈제2서〉가 훈민정음의 "예의" 부분과 "해례" 부분에 해당한다면 이 〈에스페란토 규범〉은 훈민정음의 "해례" 부분 중에서 특히 "용자례" 부분에 해당한다고 할 수 있다.

자멘호프는 자신이 창안한 국제보조어를 1887년 7월 26일 "에스페란토 박사"라는 필명 아래 〈국제어〉라는 이름의 책으로 발표한 이후 (그의 필명 "에스페란토"가 곧 이 국제어의 이름으로 불리게 되었음), 그것을 명실공히 그 이름답게 정착시키고 또한 더 갈고 다듬기 위해 1917년 그가 생을 마감할 때까지 부단한 노력을 멈추지 않았다.

그 처음의 노력이 〈제2서〉라는 이름으로 1888년 초에 발표되었고 (그럼으로써 앞서 발표한 책 〈국제어〉는 자연스럽게 〈제1서〉로 불리게 되었음), 이어 그는 그 두 권의 책 가운데 핵심 내용 (세 가지 : 기본 문법, 기본 단어장, 연습문 모음)을 모으고 또 단어장을 좀 더 보충해서 〈에스페란토 규범〉이라는 책으로 엮었다. 그리고 그것은 1905년 프랑스 "불로뉴 수르 메르"에서 개최된 제1차 세계에스페란토대회에서 정식으로 세계 모든 에스페란토 사용자들이 믿고 참고할 수 있는 규범서로 채택되었다.

이 〈에스페란토 규범〉은 당시 다음과 같은 조건으로 채택되었다.

"에스페란토는 이제 아무도 개인적으로 좌지우지할 수 없습니다. 에스페란토 창안자의 의견이나 작품조차도 다른 모든 에스페란티스토의 의견이나 작품처럼 그저 개인적인 것일 뿐이지 절대 의무적인 것이 아닙니다. 에스페란토에 있어 오직 유일한 그리고 모든 에스페란티스토들에게 영원히 의무적인 것은 이 〈에스페란토 규범〉밖에 없습니다. 이 규범은 그 어느 누구도 변경시킬 수 없으며, 이 규범에서 밝힌 규칙이나 모범에서 벗어날 경우, 절대 그것을 "에스페란토의 저자가 그렇게 원하고 권고한다"라고 말해서는 안됩니다. 이 규범에 나오는 자료들로 불충분한 모든 것은 에스페란티스토 각자가 스스로 가장 옳다고 생각하는 방식대로 표현할 수 있습니다. 그것은 모든 다른 언어에서도 하고 있는 방식입니다. 그러나 에스페란토의 통일성을 담보하기 위해 모든 에스페란티스토들은 그동안 이 일을 위해 가장 많은 노력을 기울여 왔고 또한 그 정신을 가장 잘 알고 있는, 에스페란토 창안자의 여러 작품에 나오는 문체를 따라 하기를 권고하는 바입니다."

그러므로 이 〈에스페란토 규범〉은 지금까지 아무 변화 없이 그대로 유지되고 있으며, 세계 모든 에스페란토 사용자들의 영원한 참고서가 되고 있다. 이 덕분에 130여 년이 지난 에스페란토가 아직도 처음의 그 모습 그대로를 유지하고 있고, 또 앞으로도 모든 사람들이 오늘의 작품이나 그리고 이전 에스페란토 최초의 작품들까지도 아무 어려움 없이 그대로 잘 읽을 수 있게 된 것이다. 이것은 언어학적인 관점에서 볼 때 거의 기적과 가까운 일이라 아니 할 수 없다. 그러나 동시에 이러한 일은 언어의 자연스러운 발전을 가로막는 해가 되는 일이라는 의심을 살 수도 있는 것이 사실이다.

그러나 지금까지 이것 때문에 에스페란토에 해가 되었다는 말은 들어보지 못했으며, 오히려 이 세계 모든 에스페란티스토들이 과거나 현재나 다 똑같은 한가지 언어의 모습으로 통할 수 있다는 것에 모두들 감사해 하고 있을 따름이다. 그러니 이러한 의심과 걱정은, 전혀 다듬어지지 않고 제멋대로 변화하기만 하는 소위 자연어에 익숙한 사람들의 섣부른 의심과 걱정이 아닐 수 없다.

나는 오래전부터 이 〈에스페란토 규범〉 중에 나오는 기본 문법과 연습문 모음, 그리고 기본 단어장을 한국어로 번역·해설하여 에스페란토 초중급 교재, 〈에스페란토 1, 2〉에 포함시켜 출판한 바가 있다. 이번에는 연습문 모음의 번역과 해설을 좀더 가다듬고, 또 전체적으로 본래의 원본 모습에 가깝게 해서 한 권의 온전한 책으로 이 번역·해설판을 내게 되었다. 아무쪼록 이 책이 한국 에스페란티스토들에게 유용한 참고서가 되기를 바라 마지않으며, 이를 기꺼이 출판해 준 에스페란토 서적 전문 진달래출판사 오태영 사장님께도 감사 드린다. *2023년 7월 박기완*

Antaŭparolo de la traduk-klariginto

Se la ⟨Unua Libro⟩ kaj ⟨Dua Libro⟩ de Esperanto povas esti kalkulataj kiel la partoj "Principo" kaj "Klarigo" de Hun Min Ĝeong Eum (la antikva nomo de korea alfabeto, kaj ankaŭ la nomo de la libro per kiu la inventinto, la Granda Seĝong, publikigis ĝin), jen la ⟨Fundamento de Esperanto⟩ povas esti kalkulata kiel la parto "Ekzemploj" en la parto "Klarigo".

Post la publikigo de sia verko ⟨Internacia Lingvo⟩ sub la plumnomo "Esperanto" en la 26a de julio, 1887 (tuj poste la plumnomo fariĝis la nomo de la lingvo mem), d-ro Zamenhof senĉese laboradis por poluri ĝin kaj fari ĝin vere merita por la nomo "internacia lingvo", ĝis li finis sian vivon en 1917.

Lia unua plulaboraĵo aperis en la komenco de 1888 sub la nomo ⟨Dua Libro⟩ (pro tio nature nomiĝis lia antaŭa verko ⟨Unua Libro⟩), kaj li kolektis la kernajn 3 partojn de ili (nome "Fundamenta Gramatiko", "Universala Vortaro" kaj "Ekzercaro") kaj pliampleksigis la vortaron, kaj nove kompilis unu libron. Poste ĝi estis elektita ĉe la unua Universala Kongreso de Esperanto ĉe Boulogne-sur-Mer, Francujo, kiel ⟨Fundamento de Esperanto⟩ ,kiun ĉiuj esperantistoj en la mondo povas fide konsulti.

⟨Fundamento de Esperanto⟩ estis elektita kun jena kondiĉo.

"Esperanto havas neniun personan leĝdonanton kaj dependas de neniu aparta homo. Ĉiuj opinioj kaj verkoj de la kreinto de Esperanto havas, simile al la opinioj kaj verkoj de ĉiu alia esperantisto, karakteron absolute privatan kaj por neniu devigan. La sola unu fojon por ĉiam deviga por ĉiuj esperantistoj fundamento de la lingvo Esperanto estas la verketo Fundamento de Esperanto, en kiu neniu havas la rajton fari ŝanĝon. Se iu dekliniĝas de la reguloj kaj modeloj donitaj en la dirita verko, li neniam povas pravigi sin per la vortoj "tiel deziras aŭ konsilas la aŭtoro de Esperanto". Ĉiun ideon, kiu ne povas esti oportune esprimita per tiu materialo, kiu troviĝas en la Fundamento de Esperanto, ĉiu esperantisto havas la rajton esprimi en tia maniero, kiun li trovas la plej ĝusta, tiel same, kiel estas farate en ĉiu alia lingvo. Sed pro plena unueco de la lingvo al ĉiuj esperantistoj estas rekomendate imitadi kiel eble plej multe tiun stilon, kiu troviĝas en la verkoj de la kreinto de Esperanto, kiu la plej multe laboris por kaj en Esperanto kaj la plej bone konas ĝian spiriton."

Kaj pro tio ĝi ĝis nun senŝanĝe restadas kiel fidinda fundamento de ĉiuj esperantistoj en la mondo. Kaj danke al ĝi Esperanto ankoraŭ nun, post 130 jaroj de ĝia inventiĝo, posedas la primitivan figuron senŝanĝe kaj ankaŭ en la estonteco ĉiuj esperantistoj povos daŭre ĝui hodiaŭajn kaj eĉ la komenctempajn verkojn de Esperanto sen ia ajn malfacilo. Tio estas ja mirakla afero en la vidpunkto de lingvistiko. Sed samtempe ĝuste pro tio iuj probable povus dubi, ke la lingvo havos obstaklon je natura kresko.

Sed ĝis nun mi neniam aŭdis, ke ĝi fariĝis ia ajn malhelpo al la natura kresko de Esperanto. Male mi konstatas, ke ĉiuj esperantistoj en la mondo dankas al la fakto, ke ili ĉiuj povas komuniki inter si en unu sama lingvofiguro ĝuste pro tio. Kaj tial mi povas diri, ke tia dubo kaj zorgo estas nur antaŭpreta dubo kaj zorgo de homoj alkutimiĝintaj al la naturaj lingvoj, kiuj kreskas tute senregule kaj senkontrole.

Jam antaŭ longe mi utiligadis la partojn, Fundamenta Gramatiko, Ekzercaro kaj Universala Vortaro, por miaj lernolibroj ⟨Esperanto 1, 2⟩, ilin tradukinte kaj klariginte. Ĉi-foje mi ankoraŭfoje eldonas la tradukon kaj klarigon de ⟨Fundamento de Esperanto⟩ en unu libro, denove polurinte la parton Ekzercaro kaj ŝanĝinte la paĝojn pli similforme al la originalo. Mi esperas, ke ĝi estos utila konsultlibro por koreaj esperantistoj, kaj mi ankaŭ dankas s-ron Oh tae-young (Mateno), la prezidanto de la Esperanto-profesia eldonejo Azalea.

2023, Julio, d-ro BAK Giwan

Antaŭparolo

Por ke lingvo internacia povu bone kaj regule progresadi kaj por ke ĝi havu plenan certecon, ke ĝi neniam disfalos kaj ia facilanima paŝo de ĝiaj amikoj estontaj ne detruos la laborojn de ĝiaj amikoj estintaj, — estas plej necesa antaŭ ĉio unu kondiĉo: la ekzistado de klare difinita, neniam tuŝebla kaj neniam ŝanĝebla Fundamento de la lingvo. Kiam nia lingvo estos oficiale akceptita de la registaroj de la plej ĉefaj regnoj kaj tiuj ĉi registaroj per speciala leĝo garantios al Esperanto tute certan vivon kaj uzatecon kaj plenan sendanĝerecon kontraŭ ĉiuj personaj kapricoj aŭ disputoj, tiam aŭtoritata komitato, interkonsente elektita de tiuj registaroj, havos la rajton fari en la fundamento de la lingvo unu fojon por ĉiam ĉiujn deziritajn ŝanĝojn, se tiaj ŝanĝoj montriĝos necesaj; sed ĝis tiu tempo la fundamento de Esperanto devas plej severe resti absolute senŝanĝa, ĉar severa netuŝebleco de nia fundamento estas la plej grava kaŭzo de nia ĝisnuna progresado kaj la plej grava kondiĉo por nia regula kaj paca progresado estonta. Neniu persono kaj neniu societo devas havi la rajton arbitre fari en nia Fundamento iun eĉ plej malgrandan ŝanĝon! Tiun ĉi tre gravan principon la esperantistoj volu ĉiam bone memori kaj kontraŭ la ektuŝo de tiu ĉi principo ili volu ĉiam energie batali, ĉar la momento, en kiu ni ektuŝus tiun principon, estus la komenco de nia morto.

Laŭ silenta interkonsento de ĉiuj esperantistoj jam de tre longa tempo la sekvantaj tri verkoj estas rigardataj kiel fundamento de Esperanto: 1.) La 16-regula gramatiko; 2) la « Universala Vortaro »; 3) la « Ekzercaro ». Tiujn ĉi tri verkojn la aŭtoro de Esperanto rigardadis ĉiam kiel leĝojn por li, kaj malgraŭ oftaj tentoj kaj delogoj li neniam permesis al si (almenaŭ konscie) eĉ la plej malgrandan pekon kontraŭ tiuj ĉi leĝoj; li esperas, ke pro la bono de nia afero ankaŭ ĉiuj aliaj esperantistoj ĉiam rigardados tiujn ĉi tri verkojn kiel la solan leĝan kaj netuŝeblan fundamenton de Esperanto.

Por ke ia regno estu forta kaj glora kaj povu sane disvolviĝadi, estas necese, ke ĉiu regnano sciu, ke li neniam dependos de la kapricoj de tiu aŭ alia persono, sed devas obei ĉiam nur klarajn, tute difinitajn fundamentajn leĝojn de sia lando, kiuj estas egale devigaj por la regantoj kaj regatoj kaj en kiuj neniu havas la rajton fari arbitre laŭ persona bontrovo ian ŝanĝon aŭ aldonon. Tiel same por ke nia afero bone progresadu, estas necese, ke ĉiu esperantisto havu la plenan certecon, ke leĝodonanto por li ĉiam estos ne ia persono, sed ia klare difinita verko. Tial, por meti finon al ĉiuj malkompreniĝoj kaj disputoj, kaj por ke ĉiu esperantisto sciu tute klare, per kio li devas en ĉio sin gvidi, la aŭtoro de Esperanto decidas nun eldoni en formo de unu libro tiujn tri verkojn, kiuj laŭ silenta interkonsento de ĉiuj esperantistoj jam de longe fariĝis fundamento por Esperanto, kaj li petas, ke la okuloj de ĉiuj esperantistoj estu ĉiam turnataj ne al li, sed al tiu ĉi libro. Ĝis la tempo, kiam ia por ĉiuj aŭtoritata kaj nedisputebla institucio decidos alie, ĉio, kio troviĝas en tiu ĉi libro, devas esti rigardata kiel deviga por ĉiuj; ĉio, kio estas kontraŭ tiu ĉi libro, devas esti rigardata kiel malbona, se ĝi eĉ apartenus al la plumo de la aŭtoro de Esperanto mem. Nur la supre nomitaj tri verkoj publikigitaj en la libro « Fundamento de Esperanto », devas esti rigardataj kiel oficialaj; ĉio alia, kion mi verkis aŭ verkos, konsilas, korektas, aprobas k. t. p., estas nur verkoj privataj, kiujn la esperantistoj — se ili trovas tion ĉi utila por la unueco de nia afero — povas rigardadi kiel modela, sed ne kiel deviga.

Havante la karakteron de fundamento, la tri verkoj represitaj en tiu ĉi libro devas antaŭ ĉio esti netuŝeblaj. Tial la legantoj ne miru, ke ili trovos en la nacia traduko de diversaj vortoj en tiu ĉi libro (precipe en la angla parto) tute nekorektite tiujn samajn erarojn, kiuj sin trovis en la unua eldono de la « Universala Vortaro ». Mi permesis al mi nur korekti la preserarojn; sed se ia vorto estis erare aŭ nelerte tradukita, mi ĝin lasis en tiu ĉi libro tute senŝanĝe; ĉar se mi volus plibonigi, tio ĉi jam estus ŝanĝo, kiu povus kaŭzi disputojn kaj kiu en verko fundamenta ne povas esti tolerata. La fundamento devas resti severe netuŝebla eĉ kune kun siaj eraroj. La erareco en la nacia traduko de tiu aŭ alia vorto ne prezentas grandan malfeliĉon, ĉar, komparante la kuntekstan tradukon en la aliaj lingvoj, oni facile trovos la veran sencon de ĉiu vorto; sed senkompare pli grandan danĝeron prezentus la ŝanĝado de la traduko de ia vorto, ĉar, perdinte la severan netuŝeblecon, la verko perdus sian eksterordinare necesan karakteron de dogma fundamenteco, kaj, trovante en unu eldono alian tradukon ol en alia, la uzanto ne havus la certecon, ke mi morgaŭ ne faros ian alian ŝanĝon, kaj li perdus sian konfidon kaj apogon. Al ĉiu, kiu montros al mi ian nebonan esprimon en la Fundamenta libro, mi respondos trankvile: jes, ĝi estas eraro, sed ĝi devas resti netuŝebla, ĉar ĝi apartenas al la fundamenta dokumento, en kiu neniu havas la rajton fari ian ŝanĝon.

La « Fundamento de Esperanto » tute ne devas esti rigardata kiel la plej bona lernolibro kaj vortaro de Esperanto. Ho, ne! Kiu volas perfektiĝi en Esperanto, al tiu mi rekomendas la diversajn lernolibrojn kaj vortarojn, multe pli bonajn kaj pli vastajn, kiuj estas eldonitaj de niaj plej kompetentaj amikoj por ĉiu nacio aparte kaj el kiuj la plej gravaj estas eldonitaj tre bone kaj zorgeme, sub mia persona kontrolo kaj kunhelpo. Sed la « Fundamento de Esperanto » devas troviĝi en la manoj de ĉiu bona esperantisto kiel konstanta gvida dokumento, por ke li bone ellernu kaj per ofta enrigardado konstante memorigadu al si, kio en nia lingvo estas oficiala kaj netuŝebla, por ke li povu ĉiam bone distingi la vortojn kaj regulojn oficialajn, kiuj devas troviĝi en ĉiuj lernoverkoj de Esperanto, de la vortoj kaj reguloj rekomendataj private, kiuj eble ne al ĉiuj esperantistoj estas konataj aŭ eble ne de ĉiuj estas aprobataj. La « Fundamento de Esperanto » devas troviĝi en la manoj de ĉiu esperantisto kiel konstanta kontrolilo, kiu gardos lin de deflankiĝado de la vojo de unueco.

Mi diris, ke la fundamento de nia lingvo devas esti absolute netuŝebla, se eĉ ŝajnus al ni, ke tiu aŭ alia punkto estas sendube erara. Tio ĉi povus naski la penson, ke nia lingvo restos ĉiam rigida kaj neniam disvolviĝos... Ho, ne! Malgraŭ la severa netuŝebleco de la fundamento, nia lingvo havos la plenan eblon ne sole konstante riĉiĝadi, sed eĉ konstante pliboniĝadi kaj perfektiĝadi; la netuŝebleco de la fundamento nur garantios al ni konstante, ke tiu perfektiĝado fariĝados ne per arbitra, interbatala kaj ruiniga rompado kaj ŝanĝado, ne per nuligado aŭ sentaŭgigado de nia ĝisnuna literaturo, sed per vojo natura, senkonfuza kaj sendanĝera. Pli detale mi parolos pri tio ĉi en la Bulonja kongreso; nun mi diros pri tio ĉi nur kelkajn vortojn, por ke mia opinio ne ŝajnu tro paradoksa:

1) Riĉigadi la lingvon per novaj vortoj oni povas jam nun, per konsiliĝado kun tiuj personoj, kiuj estas rigardataj kiel la plej aŭtoritataj en nia lingvo, kaj zorgante pri tio, ke ĉiuj uzu tiujn vortojn en la sama formo; sed tiuj ĉi vortoj devas esti nur rekomendataj, ne altrudataj; oni devas ilin uzadi nur en la literaturo; sed en korespondado kun personoj nekonataj estas bone ĉiam peni uzadi nur vortojn el la « Fundamento » ĉar nur pri tiaj vortoj ni povas esti certaj, ke nia adresato ilin nepre trovos en sia vortaro. Nur iam poste, kiam la plej granda parto de la novaj vortoj estos jam tute matura, ia aŭtoritata institucio enkondukos ilin en la vortaron oficialan, kiel « Aldonon al la Fundamento »

2) Se ia aŭtoritata centra institucio trovos, ke tiu aŭ alia vorto aŭ regulo en nia lingvo estas tro neoportuna, ĝi ne devos forigi aŭ ŝanĝi la diritan formon, sed ĝi povos proponi formon novan, kiun ĝi rekomendos uzadi paralele kun la formo malnova. Kun la tempo la formo nova iom post iom elpuŝos la formon malnovan, kiu fariĝos arĥaismo, kiel ni tion ĉi vidas en ĉiu natura lingvo. Sed, prezentante parton de la fundamento, tiuj ĉi arĥaismoj neniam estos elĵetitaj, sed ĉiam estos presataj en ĉiuj lernolibroj kaj vortaroj samtempe kun la formoj novaj, kaj tiamaniere ni havos la certecon, ke eĉ ĉe

la plej granda perfektiĝado la unueco de Esperanto neniam estos rompata kaj neniu verko Esperanta eĉ el la plej frua tempo iam perdos sian valoron kaj komprenebleconon por la estontaj generacioj.

Mi montris en principo, kiamaniere la severa netuŝebleco de la « Fundamento » gardos ĉiam la unuecon de nia lingvo, ne malhelpante tamen al la lingvo ne sole riĉiĝadi, sed eĉ konstante perfektiĝadi. Sed en la praktiko ni (pro kaŭzoj jam multajn fojojn priparolitaj) devas kompreneble esti tre singardaj kun ĉia « perfektigado » de la lingvo: a) ni devas tion ĉi fari ne facilanime, sed nur en okazoj de efektiva neceseco; b) fari tion ĉi (post matura prijuĝado) povas ne apartaj personoj, sed nur ia centra institucio, kiu havos nedisputeblan aŭtoritatecon por la tuta esperantistaro.

Mi finas do per la jenaj vortoj:

1. pro la unueco de nia afero ĉiu bona esperantisto devas antaŭ ĉio bone koni la fundamenton de nia lingvo;

2. la fundamento de nia lingvo devas resti por ĉiam netuŝebla;

3. ĝis la tempo kiam aŭtoritata centra institucio decidos pligrandigi (neniam ŝanĝi!) la ĝisnunan fundamenton per oficialigo de novaj vortoj aŭ reguloj, ĉio bona, kio ne troviĝas en la « Fundamento de Esperanto », devas esti rigardata ne

kiel deviga, sed nur kiel rekomendata.

La ideoj, kiujn mi supre esprimis pri la Fundamento de Esperanto, prezentas dume nur mian privatan opinion. Leĝan sankcion ili ricevos nur en tia okazo, se ili estos akceptitaj de la unua internacia kongreso de esperantistoj, al kiu tiu ĉi verko kune kun sia antaŭparolo estos prezentita.

L. ZAMENHOF.

Varsovio, Julio 1905.

서문[1]

국제어가 변형 없이 잘 발전해 나가기 위해서는, 그리고 또 그것이 결코 실패하지 않을 것이라는 확신을 주기 위해서는, 또한 장래의 사용자들이 선배들의 업적을 마음대로 파괴하지 못하도록 하기 위해서는 - 우선 한 가지 조건이 꼭 필요합니다 : 분명하게 정의된 그리고 절대 함부로 손대거나 변경시킬 수 없는 언어의 "규범"이 있어야 한다는 것입니다. 우리의 에스페란토가 많은 나라 정부로부터 공식적으로 인정을 받고, 또 그 정부들이 에스페란토에 확실한 생명과 실용성을 보장하고, 또 모든 개인적인 취향이나 논쟁으로부터 완전한 안전성을 법적으로 보장할 때, 그때에는 그 정부들이 서로 합의하여 선출한 권위 있는 위원회가 오직 단 한 번 이 에스페란토의 "규범"에 모든 필요한 수정을 가할 것입니다 (그 수정이 꼭 필요하다면 말이지요). 그러나 그때까지는 이 〈에스페란토 규범〉은 절대 수정 없이 그대로 잘 지켜져야 합니다. 왜냐하면 이 규범의 엄격한 확립이야말로 지금까지 이 에스페란토의 발전의 큰 원동력이었으며, 또 미래에도 규범에 맞는, 평화로운 발전의 가장 중요한 조건이 될 것이기 때문입니다. 그 어떤 개인이나 단체도 마음대로 우리의 이 〈규범〉에 그 어떤 조그마한 수정이라도 가할 권리가 없습니다! 이 중요한 원칙을 에스페란티스토들은 항상 기억해 주시고 이 원칙을 건드리는 그 어떤 시도에도 항상 단호하게 싸워 주시기를 바랍니다. 왜냐하면 이 원칙을 건드리는 순간 에스페란토는 죽고 말 것이기 때문입니다.

---

[1] 이 책자는 1905년 프랑스 Boulogne-sur-Mer에서 개최된 제1차 세계 에스페란토대회에서 "에스페란토 규범"으로 채택되었는데, 여기에는 에스페란토 창안자 자멘호프의 〈에스페란토 제1서〉 안에 들어있는 "기본 문법"과 또 〈제2서〉에 든 "연습문 모음", 그리고 보충된 "기본 단어장"이 포함되어 있으며, 그가 새로 쓴 "서문"도 추가되어 있다.

오래전부터 모든 에스페란티스토들은 다음의 세 가지 저작을 〈에스페란토 규범〉으로 묵시적으로 인정해 왔습니다 : 1) 16개 기본문법 2) 〈기본 단어장〉 3) 〈연습문 모음〉. 이 세 저작은 에스페란토 저자가 항상 하나의 법처럼 생각해 왔습니다. 그리고 종종 유혹이 있었지만 절대로 (적어도 의식적으로는) 이 세 저작에 반하는 죄는, 아무리 작은 죄라도 저질러 오지 않았습니다. 우리의 이 일의 성공을 위해 모든 다른 에스페란티스토들께서도 항상 이 세 저작을 하나의 법적인 것으로 또 수정할 수 없는 유일한 에스페란토 규범으로 생각해 주시기를 이 저자는 바라는 바입니다.

어떤 나라가 강하고 영광스럽게 그리고 건강하게 발전해 나가려면, 모든 국민이 국가가 어떤 개인의 변덕스러움에 좌지우지 되지 않고 항상 정해진 분명한 기본법만을 따라 발전해 나갈 것이라는 확신을 가질 수 있어야 하는 것입니다. 그리고 그 법은 통치자이거나 피통치자이거나 모두가 똑같이 따라야 하며, 그 어떤 사람도 자기 마음대로 변경시키거나 추가할 권리를 가져서는 안 되는 것입니다. 그와 같이 우리의 에스페란토도 잘 발전해 나가려면 그 어느 개인의 결정이 우리의 법이 되어서는 안 되고, 분명하게 확정된 하나의 저작이 법이 되어야 한다는 데에 대해 모든 에스페란티스토들이 확신을 할 수 있어야 합니다. 그래서 이런 모든 오해와 논쟁을 끝내기 위해, 그리고 모든 에스페란티스토들이 과연 무엇을 기준으로 배워 나갈 것인지 분명히 알 수 있도록 해 주기 위해서, 에스페란토의 저자는 이제 오랫동안 모든 에스페란티스토들이 묵시적으로 에스페란토 규범으로 인정해 왔던 그 세 저작을 하나의 책의 형태로 발간하기로 결정하였습니다. 그리고 저자는 이제 모든 에스페란티스토들의 눈이 그를 향하지 말고 이 책을 향해 주기를 부탁 드리는 바입니다. 앞으로 그 어떤 권위 있는 그리고 논란의 여지가 없는 기관이 만들어져서 그 기관이 다른 결정을 내리기 전까지는, 모든 사람들이 이 책에 들어 있는 모든 것을 의무적으로 따라주시기를 부탁 드립니다. 그리고 이 책에 위배되는 모든 것은, 비록 그것이 에스페란토의 저자 자신이 쓴 글이라 할지라도, 좋지 않은 것으로 받아들여져야 할 것입니다. 〈에스페란토 규범〉이라는 책의 형태로 발간된 그 세 가지 저작만이 공식적인 것이며 그외의 모든 저의 저술은, 과거의 저술이거나 미래의 저술이거나 할 것 없이, 오로지 저의 개인적인 것일 뿐입니다. 그리고 에스페란티스토들은 - 이러한 저의 저술이 에스페란토의 통일성을 위해서 유익한 것이라 생각한다면 - 하나의 모범으로 받아들일 수는 있겠으나 절대 의무적인 것으로 받아들여서는 안 됩니다.

책의 형태로 다시 인쇄된 이 세 가지 저작은 에스페란토의 가장 근본적인 기초입니다. 그리고 그것은 절대 함부로 건드려서는 안 됩니다. 그러니 독자들께서는 만약 자신의 모국어로 된 번역본에서 〈기본 단어장〉의 초판본에 있었던 여러 단어들의 실수가 그대로 고쳐지지 않고 다시 등장하더라도 (특히 영어 부분에서) 놀라지 마시기 바랍니다. 저는 오직 인쇄 오류만을 수정하였으며, 어떤 단어가 틀리게 번역되었거나 혹은 잘 번역되지 못했더라도 이 책에서 고치지 않고 그대로 두었습니다. 왜냐하면 만약 제가 보완하려고 고친다면 이건 벌써 수정이 되어 버리기 때문입니다. 그리고 그것은 논쟁을 불러 일으키게 될 것이며 규범을 정하는 책에서는 있을 수 없는 일이 될 것입니다. 규범은 엄격하게 보존되어야 하며 그 실수조차도 그대로 함께 보존되어야 하는 것입니다. 각국어로 번역된 번역본에서 이런저런 단어가 잘못되었다 하더라도 그것이 그리 큰 문제가 되지는 않을 것입니다. 왜냐하면 그것을 다른 번역본들과 비교해 보면 그 단어의 바른 뜻을 쉽게 알 수 있을 것이기 때문입니다. 그러나 어떤 단어의 번역을 고치게 되면 그것은 비교할 수 없을 정도의 더 큰 위험을 초래할 것입니다. 왜냐하면 한번 건드리기 시작하면 이 책은 그 독특한 〈규범〉으로서의 특성을 잃어버리게 되고, 독자들은 이런저런 번역본에서 각기 다른 번역을 발견하고는, 이제 제가 또 내일 어떻게 수정을 할는지 모를 것이라 생각하고서 이 일에 대한 믿음과 신임을 잃게 될 것이기 때문입니다.

제게 이 책의 이런저런 표현이 잘못되었다고 알려주는 모든 분들께 저는 침착하게 말할 것입니다 : 네, 맞습니다. 그것은 잘못되었습니다. 그러나 그것은 그대로 두어야 합니다. 왜냐하면 그것은 규범이 되는 문서이고, 또 그런 규범이 되는 문서는 그 어느 누구도 고칠 권한이 없기 때문입니다.

이 〈에스페란토 규범〉을 에스페란토의 가장 좋은 교과서나 가장 좋은 단어장이라고 생각해서는 절대 안 됩니다. 절대 그렇지 않습니다! 만약 어떤 분이 에스페란토를 아주 완벽하게 하고 싶다면, 저는 그분께 여러 다른 교과서와 단어장들을 추천해 드릴 것입니다. 그것들은 각국의 훌륭한 에스페란티스토들에 의해 쓰인 훨씬 더 좋은 책이며 훨씬 더 내용이 풍부한 책입니다. 그리고 그중에 중요한 것들은 제가 직접 감수를 하거나 협력하여 만들어 낸 것들입니다. 그러나 좋은 에스페란티스토라면 모두 이 〈에스페란토 규범〉은 항상 가까이 두고 지침서로 삼아야 할 것입니다. 그래서 그것을 자주 들여다보고 익혀서 우리의 언어, 에스페란토에서 무엇이 공식적인 것이며 또한 수정불가한 것이고, 또 무엇이 그렇지 않은 것인지를 늘 기억해야 할 것입니다. 그리고 많은 사람들이 알지도 못하고 또 찬성하지도 않는 그런 사적으로 추천된 것들과 공식적 단어와 규칙들을 잘 구분하여 모든 에스페란토 교재에 적용을 해야 할 것입니다. 이 〈에스페란토 규범〉은 모든 에스페란티스토들이 통일성의 길에서 벗어나지 않도록 해주는 항구적인 길잡이가 되어야 할 것입니다.

저는 비록 이 〈규범〉이 이런저런 점에서 분명히 잘못되었다는 것이 드러난다 할지라도 그것은 절대 건드려서는 안 된다고 강조하는 바입니다. 이로 인해 어쩌면 여러분은 에스페란토가 너무 경직된 상태로 남아 있게 되고, 또 절대 발전해 나가지 못할 것이라는 생각을 하게 될지도 모르겠습니다… 그러나 절대 그렇지 않습니다! 그 〈규범〉의 엄격한 "수정불가주의"에도 불구하고 에스페란토는 계속적으로 더 풍부해질 것이며 또 계속 더 발전하고 완벽해 질 것입니다.

이 〈규범〉의 수정불가주의는 우리에게 다음과 같은 것을 보장해 줄 것입니다. 즉, 그 완벽으로 나아가는 길이 어떤 개인적이거나, 또는 서로 다투어 허물어뜨리는 파괴나 변경을 통해서가 아니라, 또한 지금까지의 우리의 모든 노력을 부정하거나 부적당한 것으로 만들어 버리는 그런 방법을 통해서가 아니라, 아주 자연스럽고 혼란스럽지 않으며 위험하지 않은 그런 방법을 통해서 이루어질 것이라는 것을 보장해 준다는 말입니다. 저는 이 일에 대하여 불로뉴에서 개최될 대회에서 자세히 말씀을 드리겠습니다. 그러나 일단 여기서 제 생각이 너무 역설적이지 않다는 걸 말씀 드리기 위해 몇 가지를 말씀 드립니다.

1) 새로운 단어를 만들어 냄으로써 에스페란토를 더 풍부하게 하는 일은 지금도 에스페란토계에서 가장 권위가 있다고 인정받는 사람들의 자문을 통해서 가능합니다. 그러나 모두가 그런 단어들을 사용할 때 항상 같은 형태로 써야 한다는 점은 늘 주의해야 할 일입니다. 그리고 이런 단어들은 단지

추천된 단어일 뿐이지 절대 강요되어서는 안 될 것입니다. 우리는 오직 문학작품에서만 그런 단어들을 사용해야 합니다. 다른 사람들과의 의사소통에서는 항상 이 〈규범〉에 실려 있는 단어들만을 사용하도록 노력하는 것이 좋습니다. 왜냐하면 그래야만 우리는 그 상대방이 자기가 가진 단어장에서 그 단어들을 찾을 수 있을 것이라는 걸 확신할 수 있기 때문입니다. 언젠가 이런 새로운 단어들이 충분히 익숙해진다면 그때 권위를 부여 받은 어느 기관이 〈규범의 부록〉이라는 형태로 공식적인 단어장에 그 단어들을 수록할 것입니다.

2) 만약 권위를 부여 받은 그 어떤 세계적 기관이 이런저런 단어나 규칙이 너무 불편하다고 판단한다면 그것을 버리거나 수정하지 말고 새로운 단어나 규칙을 제안하여 그 옛 형태들과 함께 사용하도록 할 수 있을 것입니다. 그렇게 되면 세월이 흐름에 따라 그 새로운 형태가 옛것을 차츰차츰 밀어내게 될 것이며, 그 옛것은 고어가 될 것입니다. 이러한 현상은 모든 자연어에서 볼 수 있는 현상입니다. 그러나 모든 교재나 단어장에서 〈규범〉을 소개할 때에 항상 이 옛것들도 버리지 말고 새로운 형태들과 함께 소개해야 합니다. 그렇게 함으로써 우리는 다음과 같은 것을 확신할 수 있게 됩니다. 즉, 아무리 큰 변화가 있다 할지라도 에스페란토의 통일성은 절대 파괴되지 않을 것이며 또 미래의 세대들이 아주 초기 에스페란토 작품들의 가치를 이해하는 데에 전혀 어려움이 없을 것이라는 점을 말입니다.

저는 이 〈규범〉의 엄격한 수정불가주의에도 불구하고 에스페란토가 점점 더 풍부해지고 또 계속 더 완벽해지는 것이 전혀 방해 받지 않을 것이라는 걸 말씀 드렸고, 또 동시에 어떻게 하여 에스페란토의 통일성이 항상 지켜질지에 대해서도 말씀을 드렸습니다. 그러나 실제에 있어서는 모든 형태의

"완벽을 위한 수정"에 대해 우리는 아주 조심을 해야 합니다. (벌써 몇 차례 이런 논란이 있었습니다) : a) 이런 수정은 절대 가벼운 마음으로 해서는 안 되고 실제적인 필요성이 있을 경우에만 해야 합니다 ; b) 이런 수정은 개인이 해서는 안 되고 세계 모든 에스페란티스토들에게서 확실한 권위를 인정 받는 그 어떤 세계적인 기관만이 (충분한 심사숙고 후에) 할 수 있습니다.

다음과 같은 말로써 저의 말을 마치겠습니다.

1. 에스페란토의 통일성을 위해 모든 훌륭한 에스페란티스토들은 우선 이 〈규범〉을 잘 알아야 합니다.

2. 에스페란토의 이 〈규범〉은 절대 수정이 불가합니다.

3. 세계적으로 권위를 인정 받는 어떤 기관이 새로운 단어나 규칙으로써 이 〈규범〉의 보충을(절대 수정이 아님!) 결정하기 전까지는 이 〈에스페란토 규범〉에 들어 있지 않은 모든 보완점은 의무적인 것이 아니라 오로지 하나의 권고사항으로 받아들여져야만 할 것입니다.

에스페란토 규범에 대해 제가 위에서 말씀 드린 것들은 그러나 저의 개인적인 생각일 뿐입니다. 제1차 세계에스페란토대회에 이 책자와 서문이 제출될 것입니다. 그리고 거기에서 받아들여질 경우에만 이것은 비준이 되는 것입니다.

L. ZAMENHOF.
1905년 7월, 바르샤바

Fundamenta Gramatiko[2)

DE LA LINGVO ESPERANTO

A) ALFABETO

Aa	Bb	Cc	Ĉĉ	Dd	Ee	Ff
[a	b	ʦ	ʧ	d	e	f]
Gg	Ĝĝ	Hh	Ĥĥ	Ii	Jj	Ĵĵ
[g	ʤ	h	x	i	j	ʒ]
Kk	Ll	Mm	Nn	Oo	Pp	Rr
[k	l	m	n	o	p	r]
Ss	Ŝŝ	Tt	Uu	Ŭŭ	Vv	Zz
[s	ʃ	t	u	w	v	z]

Rimarko. — Presejoj, kiuj ne posedas la literojn ĉ, ĝ, ĥ, ĵ, ŝ, ŭ povas anstataŭ ili uzi ch, gh, hh, jh, sh, u.

B) PARTOJ DE PAROLO

1. Artikolo nedifinita ne ekzistas; ekzistas nur artikolo difinita la, egala por ĉiuj genroj, kazoj kaj nombroj.

2. La substantivoj havas la finaĵon o. Por la formado

---

2) En la originalo tiu ĉi parto estas skribita en 5 lingvoj (franca, angla, germana, rusa kaj pola). Zamenhof klarigis la prononcojn per la vortoj kaj literoj de respektivaj lingvoj. Jenaj Internaciaj Fonetikaj Alfabetoj estas donitaj far la tradukinto–klariginto.

de la pluralo oni aldonas la finaĵon j. Kazoj ekzistas nur du: nominativo kaj akuzativo; la lasta estas ricevata el la nominativo per aldono de la finaĵo n. La ceteraj kazoj estas esprimataj per helpo de prepozicioj; la genitivo per de, la dativo per al, la instrumentalo per per aŭ aliaj prepozicioj laŭ la senco. Ekz—e: *la patr'o, al la patr'o, de la patr'o, la patr'o'n, por la patr'o, kun la patr'o, la patr'o'j, la patr'o'j'n, per la patr'o'j, por la patr'o'j.*

3. La adjektivo finiĝas per a. Kazoj kaj nombroj kiel ĉe la substantivo. La komparativo estas farata per la vorto pli, la superlativo per plej. La vorto ol tradukiĝas per ol. Ekz—e: *pli blank'a ol neĝ'o; mi hav'as la plej bel'a'n patr'in'o'n el ĉiu'j; mi hav'as la plej bon'a'n patr'in'o'n.*

4. La bazaj numeraloj (ne deklinaciataj) estas: unu (1), du (2), tri 3), kvar (4), kvin (5), ses (6), sep (7), ok (8), naŭ (9), dek (10), cent (100), mil (1000). La dekoj kaj centoj estas formata per simpla kunigo de la numeraloj. Por la signado de ordaj numeraloj oni aldonas la finaĵon de la adjektivo; por la multiplikaj — la sufikson obl; por la frakciaj — on; por la kolektivaj — op; por la distribuaj — la vorton po. Krom tio povas esti uzataj numeraloj substantivaj kaj adverbaj. Ekz—e: *kvin'cent tri'dek tri (533); kvar'a, unu'a, du'a; unu'o, cent'o; sep'e, unu'e, du'e; tri'obl'a; kvar'on'o, du'on'o; du'op'e, kvar'op'e; po kvin.*

5. Pronomoj personaj: mi, vi, li, ŝi, ĝi, si, ni, ili, oni. La pronomoj posedaj estas formataj per la aldono de la finaĵo adjektiva. La deklinacio de la pronomoj estas kiel ĉe la substantivoj. Ekz‒e: *mi'n, mi'a.*

6. La verbo ne estas ŝanĝata laŭ personoj nek nombroj; ekz‒e: *mi far'as, la patr'o far'as, ili far'as.* Formoj de la Verbo:

a) La tempo prezenca akceptas la finaĵon as; ekz‒e: mi far'as.
b) La tempo preterita is: *vi far'is, li far'is.*
c) La tempo futura os: *ili far'os.*
ĉ) La modo kondicionala us: *ŝi far'us.*
d) La modo volitiva u: *far'u, ni far'u.*
e) La modo infinitiva i: *far'i.*
f) La participo aktiva prezenca ant: *far'ant'a, far'ant'e.*
g) La participo aktiva preterita int: *far'int'a, far'int'e.*
ĝ) La participo aktiva futura ont: *far'ont'a, far'ont'e.*
h) La participo pasiva prezenca at: *far'at'a, far'at'e.*
ĥ) La participo pasiva preterita it: *far'it'a, far'it'e.*
i) La participo pasiva futura ot: *far'ot'a, far'ot'e.*

Ĉiuj formoj de la pasivo estas formataj per helpo de responda formo de la verbo est kaj la participo pasiva de la bezonata verbo; la prepozicio ĉe la pasivo estas de. Ekz‒e: *ŝi est'as am'at'a de ĉiuj; la pord'o est'as ferm'it'a.*

7. La adverboj finiĝas per e. Gradoj de komparado kiel ĉe la adjektivoj. Ekz⁻e: *Mi'a frat'o pli bon'e kant'as ol mi.*

8. Ĉiuj prepozicioj per si mem postulas la nominativon.

C) ĜENERALAJ REGULOJ

9. Ĉiu vorto estas legata, kiel ĝi estas skribita.

10. La akcento estas ĉiam sur la antaŭlasta silabo.

11. Vortoj kunmetitaj estas formataj per simpla kunigo de la vortoj (la ĉefa vorto staras en la fino); ili estas kune skribitaj, sed disigitaj per streketoj. La gramatikaj finaĵoj estas rigardataj ankaŭ kiel memstaraj vortoj. Ekz⁻e: *vapor'ŝip'o* estas formita de: *vapor, ŝip* kaj *o* (finaĵo de la substantivo).

12. Se en frazo estas alia nega vorto, la vorto *ne* estas forlasata. Ekz⁻e: mi neniam vid'is, mi nenion vid'is.

13. Ĉe la demando "kien", la vortoj ricevas la finaĵon de la akuzativo. Ekz⁻e: *kie vi est'as?, tie; kie'n vi ir'as?, tie'n, mi ir'as Pariz'o'n, London'o'n, Varsovi'o'n, dom'o'n.*

14. Ĉiu prepozicio havas difinitan kaj konstantan signifon; sed se ni devas uzi ian prepozicion kaj la rekta senco ne montras al ni, kian nome propozicion ni devas prent, tiam ni uzas la

- 30 -

prepozicion je, kiu memstaran signifon ne havas; ekz–e: *ĝoj'i je tio; rid'i je tio; unu'o je la patr'uj'o; mal'san'a je la okul'o'j.*

La klareco neniel suferas pro tio, ĉar en ĉiuj lingvoj oni uzas en tiaj kazoj iun ajn prepozicion, se nur la uzado donis al ĝi sankcion; en la internacia lingvo ĉiam estas uzata en similaj kazoj nur la prepozicio je. Anstataŭ la prepozicio je oni povas ankaŭ uzi la akuzativon sen prepozicio, se oni timas nenian dusencaĵon.

15. La tiel nomataj vortoj "fremdaj" t.e. tiuj, kiujn la plimulto de la lingvoj prenis el unu fonto, estas uzataj en la lingvo internacia sen ŝanĝo, ricevante nur la ortografion de tiu ĉi lingvo; sed ĉe diversaj vortoj de unu radiko estas pli bone uzi senŝanĝe nur la vorton bazan kaj la ceterajn formi el tiu ĉi lasta laŭ la reguloj de la lingvo internacia. Ekz–e: *tragedi'o,* sed *tragedi'a; teatr'o,* sed *teatr'a.*

16. La finaĵo de la substantivo kaj de la artikolo povas esti forlasataj kaj anstataŭataj de apostrofo. Ekz–e: *Ŝiller'* anstataŭ *Ŝiller'o; de l' mond'o* anstataŭ *de la mondo; dom'* anstataŭ *dom'o.*

기본 문법[3]

글자

Aa	Bb	Cc	Ĉĉ	Dd	Ee	Ff
[a	b	ʦ	ʧ	d	e	f]
Gg	Ĝĝ	Hh	Ĥĥ	Ii	Jj	Ĵĵ
[g	ʤ	h	x	i	j	ʒ]
Kk	Ll	Mm	Nn	Oo	Pp	Rr
[k	l	m	n	o	p	r]
Ss	Ŝŝ	Tt	Uu	Ŭŭ	Vv	Zz
[s	ʃ	t	u	w	v	z]

(주의) 글자 ⟨ ĉ ĝ ĥ ĵ ŝ ŭ ⟩가 없는 인쇄소에서는 그 대신
⟨ ch, gh, hh, jh, sh, u ⟩를 쓸 수 있다.

품사

(제1항) 부정관사는 존재하지 않고 정관사만 존재하는데, 그
것은 'la'이며, 모든 성(性), 격, 수에 동일하다.

(제2항) 명사는 어미 '-o'를 가진다. 복수를 만들 때에는 '-
o' 뒤에 어미 '-j'를 덧붙인다. 격은 2가지만 있으며, 그것은
주격과 목적격이다. 목적격은 주격에 어미 '-n'를 덧붙임으로
써 만든다. 이 두 격 이외의 다른 격들은 전치사의 도움으로
나타낸다 (소유격은 'de'로, 여격은 'al'로, 탈격은 'per' 또

---

3) 원래 이 부분은 5개 언어(프랑스어, 영어, 독일어, 러시아어, 폴란드어)
로 작성되었습니다. 원본에서 자멘호프는 각 글자의 발음을 각 언어의
단어와 글자들을 통하여 설명하였습니다. 여기 쓰인 국제음성기호는 번
역·해설자가 써넣은 것입니다.

는 그 의미에 따라 여러 다른 전치사로). (보기: *la patr'o, al la patr'o, de la patr'o, la patr'o'n, por la patr'o, kun la patr'o, la patr'o'j, la patr'o'j'n, per la patr'o'j, por la patr'o'j*.)

(제3항) 형용사는 어미 '-a'로 끝난다. 격과 수는 명사에서와 한가지이다. 비교급은 'pli'라는 낱말로 만들어지고, 최상급은 'plej'로 만들어진다. 비교급에 있어 접속사는 'ol'을 쓴다. (보기: *pli blank'a ol neĝ'o; mi hav'as la plej bel'a'n patr'in'o'n el ĉiu'j; mi hav'as la plej bon'a'n patr'in'o'n*.)

(제4항) 기본수사는 (격변화 하지 않음) unu, du, tri, kvar, kvin, ses, sep, ok, naŭ, dek, cent, mil 이다. 몇 십, 몇 백 같은 말들은 수사의 단순한 집합으로 만들어진다. 서수를 나타내기 위해 형용사의 어미를 덧붙인다. 배수를 나타내기 위해서는 접미사 '-obl-'을, 분수를 나타내기 위해서는 접미사 '-on-'을, 집합수를 나타내기 위해서는 접미사 '-op-'을 덧붙이며, 배분을 나타내기 위해서는 'po'라는 낱말을 쓴다. 그 밖에도 명사적 수사와 부사적 수사가 쓰일 수 있다. (보기: *kvin'cent tri'dek tri (533); kvar'a, unu'a, du'a; unu'o, cent'o; sep'e, unu'e, du'e; tri'obl'a; kvar'on'o, du'on'o; du'op'e, kvar'op'e; po kvin*.)

(제5항) 인칭대명사: mi, vi, li, ŝi, ĝi (물건과 짐승에 대해), si, ni, vi, ili, oni. 소유대명사는 형용사어미를 덧붙임으로써 만든다. 격변화는 명사에서와 같다. (보기: *mi'n, mi'a*.)

(제6항) 동사는 인칭이나 수에 따라 변화하지 않는다. (보기: *mi far'as, la patr'o far'as, ili far'as*.)

동사 현재시제는 어미가 '-as'; (보기: *mi far'as*.)

과거시제는 '-is'; (보기: *vi far'is, li far'is.*)

미래시제는 '-os'; (보기: *ili far'os.*)

조건법 어미는 '-us'; (보기: *ŝi far'us.*)

원망법은 '-u'; (보기: *far'u, ni far'u.*)

불변화법은 '-i'; (보기: *far'i.*)

분사 능동 현재는 '-ant'; (보기: *far'ant'a, far'ant'e.*)

분사 능동 과거는 '-int'; (보기: *far'int'a, far'int'e.*)

분사 능동 미래는 '-ont'; (보기: *far'ont'a, far'ont'e.*)

분사 피동 현재는 '-at'; (보기: *far'at'a, far'at'e.*)

분사 피동 과거는 '-it'; (보기: *far'it'a, far'it'e.*)

분사 피동 미래는 '-ot'이다. (보기: *far'ot'a, far'ot'e.*)

피동태의 모든 형태는 'esti' 동사의 상응하는 형태와 필요한 동사의 피동 분사의 도움으로 만들어진다. 피동태에 있어 전치사는 'de'이다. (보기: *ŝi est'as am'at'a de ĉiuj; la pord'o est'as ferm'it'a.*)

(제7항) 부사는 '-e'로 끝난다. 비교급은 형용사에서와 한가지이다. (보기: *Mi'a frat'o pli bon'e kant'as ol mi.*)

(제8항) 모든 전치사는 주격을 요구한다.

일반 문법

(제9항) 모든 낱말은 그것이 쓰여진 대로 읽힌다.

(제10항) 악센트는 항상 끝에서 둘째 음절에 있다.

(제11항) 합성어는 낱말들의 단순한 집합으로 만들어진다 (주요한 낱말이 끝에 온다). 문법적 어미들도 독립적인 낱말로 간주된다. (보기: *vapor'ŝip'o*는 *vapor, ŝip*와 *o* (명사어

미)로 만들어진다.)

(제12항) 다른 부정어가 있을 때 'ne'는 쓰이지 않는다. (보기: *mi neniam vid'is, mi nenion vid'is.*)

(제13항) 방향을 나타내기 위해 낱말은 목적격 어미를 받는다. (보기: *kie vi est'as?, tie; kie'n vi ir'as?, tie'n, mi ir'as Pariz'o'n, London'o'n, Varsovi'o'n, dom'o'n.*)

(제14항) 모든 전치사는 한정된 그리고 변하지 않는 의미를 지니고 있다. 그러나 우리가 어떤 전치사를 쓰기는 써야겠지만 그 직접적인 뜻으로 보아 어떤 전치사를 써야 좋을지 잘 모를 때에는 전치사 'je'를 쓴다. 이 전치사 'je'는 독립적인 뜻이 없다. 전치사 'je' 대신 전치사를 쓰지 않고 목적격을 쓸 수도 있다. (보기: *ĝoj'i je tio; rid'i je tio; unu'o je la patr'uj'o; mal'san'a je la okul'o'j.*)

(제15항) 대부분의 언어들에 있어, 하나의 같은 어원에서 나온, 이른바 외래어라는 낱말들은, 에스페란토에 있어서, 표기법만 에스페란토에 맞게 고칠 뿐 그 밖에는 변화 없이 그대로 사용된다. 그러나 하나의 뿌리로부터 나온 여러 낱말들(파생어)에 있어서는, 기본어만 변화 없이 사용하고 그 밖의 낱말들은 에스페란토의 규칙에 따라 이 기본어에서 파생시키는 것이 좋다. (보기: *tragedi'o*, 그러나 *tragedi'a; teatr'o*, 그러나 *teatr'a.*)

(제16항) 명사와 관사의 마지막 모음은 생략하고 생략부호(')로 대신할 수 있다. (보기: *Ŝiller'o* 대신 *Ŝiller'; de la mond'o* 대신 *de l' mond'o; dom'o* 대신 *dom'*)

EKZERCARO

DE LA LINGVO ESPERANTO

연습문 모음[4]

국제어 <에스페란토>

§1.

ALFABETO 글자

Aa, Bb, Cc, Ĉĉ, Dd, Ee, Ff, Gg, Ĝĝ, Hh, Ĥĥ, Ii, Jj, Ĵĵ,
Kk, Ll, Mm, Nn, Oo, Pp, Rr, Ss, Ŝŝ, Tt, Uu, Ŭŭ, Vv,
Zz

Aa, Bb, Cc, Ĉĉ, Dd, Ee, Ff, Gg, Ĝĝ, Hh, Ĥĥ, Ii,
Jj, Ĵĵ,
Kk, Ll, Mm, Nn, Oo, Pp, Rr, Ss, Ŝŝ, Tt, Uu, Ŭŭ,
Vv, Zz

Nomoj de la literoj 글자의 이름

a, bo, co, ĉo, do, e, fo, go, ĝo, ho, ĥo, i, jo, ĵo, ko,
lo, mo, no, o, po, ro, so, ŝo, to, u, ŭo, vo, zo.

§2.
Ekzerco de legado 읽기 연습
Al. Ba-lo. Pat-ro. Nu-bo. Ce-lo. Ci-tro-no. Cen-to.

---

4) 이 연습문 모음은 학습자들의 편의를 위해 직역에 가깝게 번역한 것임.

Sen-to. Sce-no. Sci-o. Co-lo. Ko-lo. O-fi-ci-ro. Fa-ci-la. La-ca. Pa-cu-lo. Ĉar. Ĉe-mi-zo. Ĉi-ka-no. Ĉi-e-lo. Ĉu. Fe-li-ĉa. Ci-a. Ĉi-a. Pro-ce-so. Sen-ĉe-sa. Ec. Eĉ. Ek. Da. Lu-do. Den-to. Plen-di. El. En. De. Te-ni. Sen. Ve-ro. Fa-li. Fi-de-la. Tra-fi. Ga-lo. Gran-da. Gen-to. Gip-so. Gus-to. Le-gi. Pa-go. Pa-ĝo. Le-ĝo. Ĝis. Ĝus-ta. Re-ĝi. Ĝar-de-no. Lon-ga. Reg-no. Sig-ni. Gvar-di-o. Lin-gvo. Ĝu-a-do. Ha-ro. Hi-run-do. Ha-ki. Ne-he-la. Pac-ho-ro. Ses-ho-ra. Bat-hu-fo. Ho-ro. Ĥo-ro. Ko-ro. Ĥo-le-ro. Ĥe-mi-o. I-mi-ti. Fi-lo. Bir-do. Tro-vi. Prin-tem-po. Min. Fo-i-ro. Fe-i-no. I-el. I-am. I-u. Jam. Ju. Jes. Ju-ris-to. Kra-jo-no. Ma-jes-ta. Tuj. Do-moj. Ru-i-no. Pruj-no. Ba-la-i. Pa-laj. De-i-no. Vej-no. Pe-re-i. Mal-plej. Jus-ta. Ĵus. Ĵe-ti. Ĵa-lu-za. Ĵur-na-lo. Ma-jo. Bo-na-ĵo. Ka-po. Ma-ku-lo. Kes-to. Su-ke-ro. Ak-vo. Ko-ke-to. Lik-vo-ro. Pac-ka-po.

§3.
Ekzerco de legado 읽기 연습

La-vi. Le-vi-do. Pa-ro-li. Mem. Im-pli-ki. Em-ba-ra-so. No-mo. In-di-fe-ren-ta. In-ter-na-ci-a. Ol. He-ro-i. He-ro-i-no. Foj-no. Pi-a. Pal-pi. Ri-pe-ti. Ar-ba-ro. Sa-ma. Sta-ri. Si-ge-lo. Sis-te-mo. Pe-si-lo. Pe-zi-lo. Sen-ti. So-fis-mo. Ci-pre-so. Ŝi. Pa-ŝo. Sta-lo. Ŝta-lo. Ves-to. Veŝ-to. Dis-ŝi-ri. Ŝan-ce-li. Ta-pi-ŝo. Te-o-ri-o. Pa-ten-to. U-ti-la. Un-go. Plu-mo. Tu-mul-to. Plu. Lu-i. Ki-u. Ba-la-u. Tra-u-lo. Pe-re-u. Ne-u-lo. Fraŭ-lo. Paŭ-li-no. Laŭ-di. Eŭ-ro-po. Tro-u

-zi. Ho-di-aŭ. Va-na. Ver-so. Sol-vi. Zor-gi. Ze-ni-to. Zo-o-lo-gi-o. A-ze-no. Me-zu-ro. Na-zo. Tre-zo-ro. Mez-nok-to. Zu-mo. Su-mo. Zo-no. So-no. Pe-zo. Pe-co. Pe-so. Ne-ni-o. A-di-aŭ. Fi-zi-ko. Ge-o-gra-fi-o. Spi-ri-to. Lip-ha-ro. In-dig-ni. Ne-ni-el. Spe-gu-lo. Spi-no. Ŝpi-no. Ne-i. Re-e. He-ro-o. Kon-sci-i. Tra-e-te-ra. He-ro-e-to. Lu-e. Mo-le. Pa-le. Tra-i-re. Pa-si-e. Me-ti-o. In-ĝe-ni-e-ro. In-sek-to. Re-ser-vi. Re-zer-vi.

§4.
Ekzerco de legado 읽기 연습
Citrono. Cento. Sceno. Scio. Balau. Ŝanceli. Neniel. Embaraso. Zoologio. Reservi. Traire. Hodiaŭ. Disŝiri. Neulo. Majesta. Packapo. Heroino. Pezo. Internacia. Seshora. Cipreso. Stalo. Feino. Plu. Sukero. Gento. Indigni. Sigelo. Krajono. Ruino. Pesilo. Lipharo. Metio. Ĝardeno. Sono. Laŭ-di. Pale. Facila. Insekto. Kiu. Zorgi. Ĉikano. Traetera. Sofismo. Domoj. Spino. Majo. Signi. Ec. Bonaĵo. Legi. Iel. Juristo. Ĉielo. Ĥemio.

§5.

Patro kaj frato.
(아버지와 형 (오빠 또는 남동생))
Leono estas besto.
(사자는 짐승이다.)
Rozo estas floro kaj kolombo estas birdo.
(장미는 꽃이고 비둘기는 새다.)

La rozo apartenas al Teodoro.
(그 장미는 테오도로의 것이다.)
La suno brilas.
(태양이 빛난다.)
La patro estas sana.
(아버지께서는 건강하시다.)
La patro estas tajloro.
(아버지는 재단사이시다.)

patro / 아버지
kaj / 그리고
leono / 사자
as / 동사 현재 어미
rozo / 장미
kolombo / 비둘기
la / 관사
al / -에게/로
brili / 빛나다
a / 형용사 어미

o / 명사어미
frato / 형제
esti / 이다, 있다
besto / 짐승
floro / 꽃
birdo / 새
aparteni / -에 속하다
suno / 태양
sana / 건강한
tajloro / 재단사

-명사는 어미가 <-o>이다.
-형용사는 어미가 <-a>이다.
-동사의 현재시제는 어미가 <-as>이다.
-관사는 <la> 하나밖에 없다.
-전치사는 명사 앞에 쓰이며, 전치사 뒤에는 주격의 명사가 온다.

Infano ne estas matura homo.
(아이는 성숙한 인간이 아니다.)
La infano jam ne ploras.
(그 아이는 이제 더 울지 않는다.)
La ĉielo estas blua.
(하늘은 푸르다.)
Kie estas la libro kaj la krajono?
(그 책과 연필은 어디에 있는가?)
La libro estas sur la tablo, kaj la krajono kuŝas sur la fenestro.
(그 책은 책상 위에 있고, 그 연필은 창문틀 위에 놓여 있다.)
Sur la fenestro kuŝas krajono kaj plumo.
(창문틀 위에는 연필과 펜이 놓여 있다.)
Jen estas pomo.
(여기 사과가 있다.)
Jen estas la pomo, kiun mi trovis.
(여기 내가 발견한 사과가 있다.)
Sur la tero kuŝas ŝtono.
(땅 위에 돌이 놓여 있다.)

infano / 어린아이	ne / 부정의 부사
matura / 성숙한	homo / 인간
jam / 벌써	plori / 울다
ĉielo / 하늘	blua / 푸른
kie / (의문사) 어디에	libro / 책
krajono / 연필	sur / (전치사) 위에

tablo / 책상

fenestro / 창

jen / 여기에

kiu / (의문사) 누구

mi / (대명사) 나

is / 동사 과거시제 어미

ŝtono / 돌

kuŝi / 누워 있다

plumo / 깃털, 펜

pomo / 사과

n / 목적격어미

trovi / 발견하다

tero / 땅, 지구

-부정문을 만들 때는 부정부사 〈ne〉를 쓴다.

-의문사로써 의문문을 만들며, 의문사는 월의 맨 앞에 쓰임.

- 〈jen estas〉는 〈여기 -가 있다〉의 표현이다.

-의문사 〈kiu〉는 관계대명사로도 쓰이며, 관계대명사의 격은 그 관계문 안에서 결정되고, 수는 선행사에 의해 결정된다.

-에스페란토의 목적격은 격표지가 〈-n〉이다.

---

§7.

Leono estas forta.

(사자는 힘이 세다.)

La dentoj de leono estas akraj.

(사자의 이들은 날카롭다.)

Al leono ne donu la manon.

(사자에게 손을 주지 마라.)

Mi vidas leonon.

(나는 사자를 본다.)

Resti kun leono estas danĝere.

(사자와 함께 머무는 것은 위험하다.)

Kiu kuraĝas rajdi sur leono?
(누가 감히 사자 위에 탈 수 있는가?)
Mi parolas pri leono.
(나는 사자에 관해서 말한다.)

forta / 힘센, 강한
j / 복수 어미
akra / 날카로운
u / 동사 명령법 어미
vidi / 보다
kun / (전치사) -와 함께
e / 부사 어미
rajdi / 타다
paroli / 말하다

dento / 이
de /(전치사) -로부터, -의
doni / 주다
mano / 손
resti / 남아 있다
danĝero / 위험
kuraĝa / 용감한
i / 동사 원형 어미
pri / (전치사) -에 관하여

-단수 일인칭대명사는 〈mi〉이다.
-인칭대명사는 다음과 같다: mi, vi, li, ŝi, ĝi, si, ni, vi, ili, si, oni.
-명사나 형용사의 복수어미는 〈-j〉이다.
-형용사는 그것이 꾸미는 명사의 수와 격에 따라 어미변화를 같이 한다.
-동사의 원망법(명령법)어미는 〈-u〉이다.
-동사의 부정법어미는 〈-i〉이다.
-동사가 몇 개 계속될 때에는 처음의 정동사만 어미변화를 시키고 뒤에 따라오는 동사들은 모두 부정법(원형)으로 한다.
-주어가 동사의 부정법일 때에는 보어로 부사가 쓰인다.
-부사 가운데는 파생부사와 원래부사의 두 종류가 있으며, 파생부사의 어미는 〈-e〉이다.

§8.

La patro estas bona.
(아버지께서는 좋으시다.)

Jen kuŝas la ĉapelo de la patro.
(여기 아버지의 모자가 놓여 있다.)

Diru al la patro, ke mi estas diligenta.
(내가 부지런하다고 아버지께 말씀드려라.)

Mi amas la patron.
(나는 아버지를 사랑한다.)

Venu kune kun la patro.
(아버지와 함께 오너라.)

La filo staras apud la patro.
(아들은 아버지 곁에 서 있다.)

La mano de Johano estas pura.
(요한의 손은 깨끗하다.)

Mi konas Johanon.
(나는 요한을 안다.)

Ludoviko, donu al mi panon.
(루도비코야, 나에게 빵을 다오.)

Mi manĝas per la buŝo kaj flaras per la nazo.
(나는 입으로 먹고 코로 냄새 맡는다.)

Antaŭ la domo staras arbo.
(집 앞에 나무가 서 있다.)

La patro estas en la ĉambro.
(아버지께서는 방 안에 계신다.)

bona / 좋은, 착한   ĉapelo / 모자 (챙이 넓은)
diri / 말하다   ke / 종속접속사
diligenta / 부지런한   ami / 사랑하다

veni / 오다

kune / 함께

filo / 아들

stari / 서 있다

apud / (전치사) -곁에

pura / 깨끗한, 순수한

koni / 알고 있다 (경험적으로)

pano / 빵

manĝi / 먹다 고, -로써

per / (전치사) -을 가지

buŝo / 입

flari / 냄새를 맡다

nazo / 코

antaŭ / (전치사) -앞에

domo / 집

arbo / 나무

ĉambro / 방

- 〈ke〉는 명사절이나 부사절을 이끄는 접속사이다.
-타동사 다음에는 당연히 목적격의 명사를 쓴다. 목적격 어미는 〈-n〉이다.

---

§9.

La birdoj flugas.
(새들이 난다 (날고 있다).)
La kanto de la birdoj estas agrabla.
(새들의 노래는 유쾌하다.)
Donu al la birdoj akvon, ĉar ili volas trinki.
(새들에게 물을 주어라. 왜냐하면 그들이 물을 마시려 하기 때문이다.)
La knabo forpelis la birdojn.
(그 소년이 새들을 쫓아 버렸다.)
Ni vidas per la okuloj kaj aŭdas per la oreloj.
(우리는 눈으로 보고 귀로 듣는다.)
Bonaj infanoj lernas diligente.
(착한 어린이들은 부지런히 배운다.)

Aleksandro ne volas lerni, kaj tial mi batas Aleksandron.
(알렉산드로는 배우기를 원하지 않는다. 그래서 나는 알렉산드로를 때린다.)
De la patro mi ricevis libron, kaj de la frato mi ricevis plumon.
(아버지로부터 나는 책을 받았고 형으로부터 나는 펜을 받았다.)
Mi venas de la avo, kaj mi iras nun al la onklo.
(나는 할아버지 댁으로부터 와서 지금 아저씨 댁으로 간다.)
Mi legas libron.
(나는 책을 읽는다.)
La patro ne legas libron, sed li skribas leteron.
(아버지께서는 책을 읽으시지 않고, 편지를 쓰신다.)

flugi / 날다
agrabla / 유쾌한
ĉar / (접속사) 왜냐하면
voli / 원하다
knabo / 소년
peli / (내)쫓다
okulo / 눈 (신체)
orelo / 귀
tial / (목록어) 그래서
ricevi / 받다
iri / 가다
onklo / 아저씨
sed / (접속사) 그러나
skribi / (글) 쓰다

kanti / 노래 부르다
akvo / 물
ili / (대명사) 그들, 그것들
trinki / 마시다
for / 멀리
ni / (대명사) 우리
aŭdi / 듣다
lerni / 배우다
bati / 때리다
avo / 할아버지
nun / 지금
legi / 읽다
li / (대명사) 그이
letero / 편지

- ⟨voli⟩는 ⟨-하기를 원하다⟩의 뜻이다. 함께 알아두어야 할 낱말로는 ⟨povi⟩ (-할 수 있다)와 ⟨devi⟩ (-하여야 하다)가 있다.
-전치사 ⟨de⟩는 크게 다음의 두 가지 뜻을 가지고 있다:
    1. ⟨-의⟩ (소유, 소속)
    2. ⟨-로부터⟩ (출발, 기점, 기원)
-동사의 과거시제는 어미가 ⟨-is⟩이다.

§10.

Papero estas blanka.
(종이는 희다.)
Blanka papero kuŝas sur la tablo.
(흰 종이가 책상 위에 놓여 있다.)
La blanka papero jam ne kuŝas sur la tablo.
(그 흰 종이는 이제 더이상 책상 위에 놓여 있지 않다.)
Jen estas la kajero de la juna fraŭlino.
(여기 그 젊은 아가씨의 공책이 있다.)
La patro donis al mi dolĉan pomon.
(아버지께서 나에게 달콤한 사과를 주셨다.)
Rakontu al mia juna amiko belan historion.
(나의 어린 친구에게 아름다운 이야기를 들려 주어라.)
Mi ne amas obstinajn homojn.
(나는 고집스러운 사람들을 좋아하지 않는다.)
Mi deziras al vi bonan tagon, sinjoro!
(선생님, 저는 당신에게 좋은 날을 기원합니다. = 안녕하십시오, 선생님.)
Bonan matenon!
(좋은 아침을 기원합니다. = 안녕하세요?)

Ĝojan feston! (mi deziras al vi).
(기쁜 잔치를 기원합니다.)

Kia ĝoja festo! (estas hodiaŭ).
(얼마나 기쁜 잔치인가! (오늘이))

Sur la ĉielo staras la bela suno.
(하늘에는 아름다운 태양이 떠 있다.)

En la tago ni vidas la helan sunon, kaj en la nokto
ni vidas la palan lunon kaj la belajn stelojn.
(우리는 낮에 밝은 태양을 보고, 밤에는 희미한 달과 아름다
운 별들을 본다.)

La papero estas tre blanka, sed la neĝo estas pli
blanka.
(종이는 아주 희다. 그러나 눈은 더 희다.)

Lakto estas pli nutra, ol vino.
(우유는 포도주보다 더 영양가 있다.)

Mi havas pli freŝan panon, ol vi.
(내게는 너보다 더 신선한 빵이 있다.)

Ne, vi eraras, sinjoro: via pano estas malpli freŝa, ol
mia.
(아니오, 선생님은 틀렸습니다. 당신의 빵은 내 것보다 덜 신
선합니다.)

El ĉiuj miaj infanoj Ernesto estas la plej juna.
(나의 모든 아이들 가운데 에르네스토가 가장 어리다.)

Mi estas tiel forta, kiel vi.
(나는 너만큼 강하다.)

El ĉiuj siaj fratoj Antono estas la malplej saĝa.
(자신의 모든 형제들 가운데서 안토노가 가장 덜 현명하다. =
가장 현명하지 못하다. ≠ 가장 현명하지는 않다.)

papero / 종이

kajero / 공책

fraŭlo / 총각

patro 아버지 / patrino 어머니 / fianĉo 약혼자 / fianĉino 약혼녀 / koko 수탉 / kokino 암탉)

dolĉa 달콤한

mia / (대명사) 나의, 나의 것

bela / 아름다운

obstina / 고집이 센

vi / (대명사) 너, 너희

sinjoro / 선생님 (호칭)

ĝoji / 기뻐하다

kia / (의문사) 어떠한

en / (전치사) -안에

nokto / 밤

luno / 달

neĝo / 눈 (내리는 눈)

lakto / 우유, 젖 먹이다

ol / (접속사) -보다

havi / 가지고 있다

erari / 실수하다

blanka / 흰

juna / 어린, 젊은

in / (접미사) 여성 (보기 :

rakonti / 이야기하다

amiko / 친구

historio / 역사, 이야기

deziri / 기원하다

tago / 날 (하루)

mateno / 아침

festi / 잔치하다

hodiaŭ / 오늘

hela / 맑은

pala / 창백한

stelo / 별

pli / 더 (많이)

nutri / 영양을 공급하다,

vino / 포도주

freŝa / 신선한

mal / (접두사) 반대 (보기

: bona 좋은 / malbona 나쁜 / estimi 존경하다 / malestimi 멸시하다)

el / (전치사) -으로부터 (안에서 밖으로)

ĉiu / (목록어) 모든, 각각 (사람)

plej / 가장 (최상급)

kiel / (의문사) 어떻게

tiel / (목록어) 그렇게

si / (대명사) 3인칭 재귀대명사 (sia / 소유격, 소유대명사)

-형용사는 그것이 꾸미는 명사가 복수이며 동시에 목적 격일 때 그 명사와 같이 어미변화하여 그 어미는 〈-ajn〉 이 된다.

-형용사나 부사를 비교급으로 만들 때에는 그 형용사나 부사 앞에 〈pli〉라는 부사를 쓰고, 대상이 되는 명사 앞에 는 〈ol〉이라는 접속사를 쓴다.

-동등비교급에는 〈pli ― ol〉대신 〈tiel ― kiel〉이 쓰인다.

-최상급을 만들 때에는 형용사나 부사 앞에 〈plej〉를 쓴 다.

-인칭대명사에 형용사어미 〈-a〉를 붙이면 소유대명사나 소유격이 된다.

-감탄문을 만드는 방법은 다음의 두 가지가 있다:

   1. Kiel + 형용사, 부사

   2. Kia + 명사 (형용사적 성격을 띤 명사)

§11.
La feino (요정)

Unu vidvino havis du filinojn. La pli maljuna estis tiel simila al la patrino per sia karaktero kaj vizaĝo, ke ĉiu, kiu ŝin vidis, povis pensi, ke li vidas la patrinon; ili ambaŭ estis tiel malagrablaj kaj tiel fieraj, ke oni ne povis vivi kun ili. La pli juna filino, kiu estis la plena portreto de sia patro laŭ sia boneco kaj honesteco, estis krom tio unu el la plej belaj knabinoj, kiujn oni povis trovi.

(한 과부에게 두 딸이 있었습니다. 큰딸은 그 성격과 얼굴 모습에 있어 그 어머니를 아주 닮았기 때문에 그녀를 보는

사람은 모두 마치 그 어머니를 보는 것처럼 생각할 수 있었습니다. 그들은 둘 다 너무 불친절하고 교만하여서 사람들이 그들과 함께 살 수 없었습니다. 그 작은딸은 착함과 정직함에 있어 그 아버지를 쏙 빼닮았으며 게다가 사람들이 찾아볼 수 있는 가장 아름다운 소녀들 가운데 하나였습니다.)

feino / 요정
vidvo / 홀아비
simila / 비슷한
vizaĝo / 얼굴
pensi / 생각하다
fiera / 자랑하는, 교만한
vivi / 살다, 살아 있다
portreto / 초상화

unu / (수사) 하나
du / (수사) 둘
karaktero / 성격
povi / -를 할 수 있다
ambaŭ / 둘 다
oni / (대명사) 일반칭
plena / 충만한
laŭ / (전치사) -을 따라

ec / (접미사) 성질, 추상화 (보기 : bona 좋은 / boneco 선 / viro 남자 / vireco 남성스러움 / virino 여자 / virineco 여성스러움 / infano 아이 / infaneco 유치함)
honesta / 정직한
하고
tio / (목록어) 그것

krom / (전치사) -을 제외

-수사는 다음과 같다: unu, du, tri, kvar, kvin, ses, sep, ok, naŭ, dek, cent, mil.
-수사 다음에 목적격의 명사가 오더라도 수사에는 목적격어미가 붙지 않는다.
- 〈관사 la + 형용사〉 다음에는 이미 앞에 언급된 명사가 생략되어 있다고 본다.
- 〈tiel -, ke … 〉는 〈너무나 -하여 … 〉로 해석한다.
- 〈si〉는 삼인칭 재귀대명사이다.

-상관사(목록어) 목록은 다음과 같다:

	지시 ti-	의문 ki-	전체 ĉi-	비한정 i-	부정 neni-
개체,사람,사물 (-u)	tiu	kiu	ĉiu	iu	neniu
개념,사물 (-o)	tio	kio	ĉio	io	nenio
성질,형용 (-a)	tia	kia	ĉia	ia	nenia
소유 (-es)	ties	kies	ĉies	ies	nenies
장소 (-e)	tie	kie	ĉie	ie	nenie
시각,시간 (-am)	tiam	kiam	ĉiam	iam	neniam
방법,상태,정도 (-el)	tiel	kiel	ĉiel	iel	neniel
이유 (-al)	tial	kial	ĉial	ial	nenial
수량 (-om)	tiom	kiom	ĉiom	iom	neniom

-상관사에는 다시 문법적 어미나 접사 들이 필요에 따라 붙을 수 있다.

- <u, -o, -a> 계열의 낱말들에는 목적격어미 <-n>가 붙을 수 있다.

- <-e>계열의 낱말들에도, 이동의 방향을 나타내기 위해서는 목적격어미가 붙을 수 있다.

- <-u, -a> 계열의 낱말들에는 복수어미 <-j>가 붙을 수 있다.

- <-u, -a, -es> 계열의 낱말들 다음에는 명사가 오며, 이들은 그 명사를 꾸민다.

- <-o> 계열의 낱말에는 복수어미가 붙지 않는다.

- <i-> 계열이나 <ki->계열의 낱말 뒤에 <ajn>이라는 부사가 오는 일이 있는데, 이 부사 <ajn>의 뜻은 <-든지>의 뜻이다.

§12.

Du homoj povas pli multe fari ol unu.
(두 사람은 한 사람보다 더 많이 할 수 있다.)

Mi havas nur unu buŝon, sed mi havas du orelojn.
(내게는 입이 단 하나 있으나, 귀는 둘이 있다.)
Li promenas kun tri hundoj.
(그는 세마리의 개를 데리고 산책한다.)
Li faris ĉion per la dek fingroj de siaj manoj.
(그는 자기 손의 열 손가락으로 모든 것을 했다.)
El ŝiaj multaj infanoj unuj estas bonaj kaj aliaj estas
malbonaj.
(그녀의 많은 아이들 가운데 몇몇은 착하고 몇몇은 못됐다.)
Kvin kaj sep faras dek du.
(5 + 7 = 12)
Dek kaj dek faras dudek.
(10 + 10 = 20)
Kvar kaj dek ok faras dudek du.
(4 + 18 = 22)
Tridek kaj kvardek kvin faras sepdek kvin.
(30 + 45 = 75)
Mil okcent naŭdek tri. (1893)
Li havas dek unu infanojn.
(그에게는 열한 명의 아이가 있다.)
Sesdek minutoj faras unu horon, kaj unu minuto
konsistas el sesdek sekundoj.
(60분은 한 시간을 만들고, 1분은 60초로 이루어져 있다.)
Januaro estas la unua monato de la jaro, Aprilo
estas la kvara, Novembro estas la dek-unua,
Decembro estas la dek-dua.
(1월은 해의 첫째 달이고, 4월은 넷째, 11월은 열한째, 12월
은 열둘째 달이다.)
La dudeka (tago) de Februaro estas la kvindek-unua

tago de la jaro.
(2월 20일은 해의 쉰한째 날이다.)

La sepan tagon de la semajno Dio elektis, ke ĝi estu
pli sankta, ol la ses unuaj tagoj.
(하나님은 주의 일곱째 날을 여섯 앞선 날보다 더 거룩한 것
으로 선택하셨다.)

Kion Dio kreis en la sesa tago?
(하나님은 여섯째 날에 무엇을 창조하셨는가?)

Kiun daton ni havas hodiaŭ?
(오늘은 며칠입니까?)

Hodiaŭ estas la dudek-sepa (tago) de Marto.
(오늘은 3월 27일이다.)

Georgo Vaŝington estis naskita la dudek-duan de
Februaro de la jaro mil-sepcent-tridek-dua.
(조지 와싱턴은 1732년 2월 22일에 태어났다.)

multe / 많이	fari / 하다
nur / 오직	promeni / 산책하다
tri / (수사) 셋	hundo / 개
ĉio / (목록어) 모든 것	dek / (수사) 열
fingro / 손가락	alia / 다른
kvin / (수사) 다섯	sep / (수사) 일곱
kvar / (수사) 넷	ok / (수사) 여덟
mil / (수사) 천	cent / (수사) 백
naŭ / (수사) 아홉	ses / (수사) 여섯
minuto / 분 (시간)	horo / 시 (시간)
konsisti / 구성되어 있다	sekundo / 초 (시간)
Januaro / 1월	monato / 달 (월)
jaro / 년 (일 년)	Aprilo / 4월

Novembro / 11월   Decembro / 12월

Februaro / 2월   semajno / 주, 주간

Dio / 신, 하나님   elekti / 선출하다, 택하다

ĝi / (대명사) 그것   sankta / 신성한

krei / 창조하다   dato / 날짜

Marto / 3월   naski / 낳다

it / (접미사) 수동완료 접미사

- 〈더하기〉는 〈kaj〉나 〈plus〉로 표현한다.

-계산에서 〈faras〉대신 〈estas〉를 써도 좋다.

-수사에 형용사어미 〈-a〉를 붙이면 서수가 된다.

-수사는 10진법으로 커간다. 10 이상이 되면 한국말과 똑같이 변화한다.

-목적격어미 〈-n〉의 용법은 다음과 같다:

1. 타동사의 목적어를 나타낸다.

2. 이동의 방향을 나타낸다.

　　①장소를 나타내는 고유명사에 바로 목적격어미
　　　가 붙을 때 (Li iris Seulon.)

　　②장소를 나타내는 전치사 뒤의 명사에 목적격어
　　　미가 붙을 때 (Mi iris en la ĉambron.)

　　③장소를 나타내는 파생부사에 바로 목적격어미
　　　가 붙을 때 (Kien vi iras? — Mi iras hejmen.)

3. 측량을 나타낸다.

　　①시간의 측량 (Mi dormis 10 horojn.)

　　②시각의 측량 (La 7-an horon matene mi
　　　matenmanĝas.)

　　③무게의 측량 (Mi pezas 60 kilogramojn.)

　　④높이의 측량 (La monto estas 100 metrojn

alta.)

⑤길이의 측량 (La rivero estas 4 kilometrojn longa.)

⑥거리의 측량 (Li estas 3 paŝojn de la ŝtuparo.)

⑦깊이의 측량 (La puto estas 10 metrojn profunda.)

⑧넓이의 측량 (La placo estas 1000 kvadratajn metrojn vasta.)

⑨너비의 측량 (La strato estas 100 metrojn larĝa.)

⑩값의 측량 (La libro kostas tri mil ŭonojn.)

4. 방식을 나타낸다. (Li metis la glason supron malsupren.)

5. 전치사 je 대신 그 뒤의 명사를 목적격으로 한다. (이 용법은 위의 용법 (3)을 달리 표현한 것이라 할 수 있다. 왜냐하면 위 (3)은 전치사 je의 용법과도 같기 때문이다.)

-접속사 〈ke〉로 이끌리는 종속절에 원망법이 쓰이면 〈-하도록〉으로 해석한다.

-동사에 〈-ita〉가 붙으면 〈-된〉 (피동완료 형용사형)으로 해석한다.

§13.
La feino (계속)

Ĉar ĉiu amas ordinare personon, kiu estas simila al li, tial tiu ĉi patrino varmege amis sian pli maljunan filinon, kaj en tiu sama tempo ŝi havis teruran malamon kontraŭ la pli juna. Ŝi devigis ŝin manĝi en la kuirejo kaj laboradi senĉese. Inter aliaj aferoj tiu ĉi malfeliĉa infano devis du fojojn en ĉiu tago iri ĉerpi akvon en tre malproksima loko kaj alporti domen plenan grandan kruĉon.

(모든 사람은 보통 자기를 닮은 사람을 사랑하기 때문에 이 어머니는 자기의 큰딸을 뜨겁게 사랑하였고, 동시에 작은딸에 대해서는 커다란 증오심이 있었습니다. 그녀는 그녀로 하여금 부엌에서 밥을 먹도록 하였으며 끊임없이 일을 하도록 하였습니다. 여러 가지 일 가운데 이 불쌍한 아이는 매일 두 차례씩 아주 먼 곳으로 물을 길러 가야 했으며, 또한 그 가득찬 큰 물통을 집으로 옮겨와야만 했습니다.)

daŭri / 계속되다

ig / (접미사) 타동사화, 사동사화 접미사 (보기 pura 깨끗한 / purigi 깨끗하게 하다 / morti 죽다 / mortigi 죽이다 / sidi 앉아 있다 / sidigi 앉히다 / bruli 불 타다 / bruligi 불 태우다)

ordinara / 보통의

persono / 사람

tiu / (목록어) 그 (사람, 것)

ĉi / 가까이 있는 것을 나타냄 (보기 : tiu 그 (사람, 것) / tiu ĉi 이 (사람, 것) / tie 거기 / tie ĉi 여기)

varma / 더운

eg / (접미사) 크고 강한 것을 나타냄 (보기 : pordo 문 / pordego 대문 / peti 청하다 / petegi 간청하다 / varma 더운 / varmega 뜨거운 / mano 손 / manego 큰손)

sama / 같은

tempo / 시간, 때

teruro / 공포

kontraŭ / (전치사) -을 대항하여, 거슬러, 맞은편에

devi / -을 해야 하다

kuiri / 요리하다

ej / (접미사) 장소 (보기 : preĝi 기도하다 / preĝejo 교회 / kuiri 요리하다 / kuirejo 부엌)

labori / 일하다

ad / (접미사) 동작의 지속

을 나타냄, 동명사를 만듦 (보기 : danco 춤 / dancado 춤을 춤 / iri 가다 / iradi 계속 가다)

sen / (전치사) -없이	ĉesi / 중단하다
inter / (전치사) -사이에	afero / 일, 사건
feliĉa / 행복한	fojo / 번 (횟수)
ĉerpi / 긷다 (물)	tre / 아주
proksima / 가까운	loko / 장소
porti / 지니고 있다	kruĉo / 주전자

n / 목적격 어미, 이동의 방향 표지

-상관사 가운데 지시사들은 그 앞이나 뒤에 ⟨ĉi⟩가 오면 근접을 나타낸다.

-접미사 ⟨-ig-⟩는 타동사나 사동사화 접미사이다.

-에스페란토의 모든 낱말은 다른 낱말과 함께 합성어를 만들 수 있다. 어근과 어근이 붙어 합성어를 이룰 경우 그 사이에 문법적 어미는 붙이지 않는 것이 원칙이다.

---

§14.

Mi havas cent pomojn.

(내게는 백개의 사과가 있다.)

Mi havas centon da pomoj.

(내게는 사과 한 접이 있다.)

Tiu ĉi urbo havas milionon da loĝantoj.

(이 도시에는 백만의 인구가 있다.)

Mi aĉetis dekduon (aŭ dek-duon) da kuleroj kaj du dekduojn da forkoj.

(나는 한 타스의 숟가락과 두 타스의 포크를 샀다.)

Mil jaroj (aŭ milo da jaroj) faras miljaron.

(천 년은 한 세기이다.)

Unue mi redonas al vi la monon, kiun vi pruntis al

mi; due mi dankas vin por la prunto; trie mi petas vin ankaŭ poste prunti al mi, kiam mi bezonos monon.

(첫째, 나는 당신에게 당신이 내게 빌려 주었던 돈을 돌려드립니다; 둘째, 나는 그 대출에 대해 당신께 감사를 드립니다; 셋째, 나중에 내가 돈이 필요할 때 당신이 다시 나에게 돈을 빌려주시기를 나는 부탁합니다.)

Por ĉiu tago mi ricevas kvin frankojn, sed por la hodiaŭa tago mi ricevis duoblan pagon, t.e. (=tio estas) dek frankojn.

(매일 나는 5프랑씩을 받았다. 그러나 오늘 나는 두 배의 삯, 즉 10프랑을 받았다.)

Kvinoble sep estas tridek kvin.

(5 x 7 = 35)

Tri estas duono de ses.

(3은 6의 반이다.)

Ok estas kvar kvinonoj de dek.

(8은 10의 4/5이다.)

Kvar metroj da tiu ĉi ŝtofo kostas naŭ frankojn; tial du metroj kostas kvar kaj duonon frankojn (aŭ da frankoj).

(이 천은 4미터의 값이 9프랑이다. 따라서 2미터는 값이 4.5 프랑이다.)

Unu tago estas tricent-sesdek-kvinono aŭ tricent-sesdek-ses-ono de jaro.

(하루는 일년의 1/365이거나 1/366이다.)

Tiuj ĉi du amikoj promenas ĉiam duope.

(이 두 친구는 늘 둘이서 함께 산책한다.)

Kvinope ili sin ĵetis sur min, sed mi venkis ĉiujn

kvin atakantojn.

(그들은 다섯이서 함께 내 위로 덮쳤으나 나는 다섯명의 공격자들을 모두 이겼다.)

Por miaj kvar infanoj mi aĉetis dek du pomojn, kaj al ĉiu el la infanoj mi donis po tri pomoj.

(나의 네 아이들을 위하여 나는 사과 12개를 샀다. 그리고 그 아이들 각각에게 나는 사과 3개씩을 주었다.)

Tiu ĉi libro havas sesdek paĝojn; tial, se mi legos en ĉiu tago po dek kvin paĝoj, mi finos la tutan libron en kvar tagoj.

(이 책은 60쪽이다. 그래서 만약 내가 매일 15쪽씩을 읽는다면 나는 나흘 안에 그 책 전체를 끝낼 것이다.)

on / (접미사) "몇 분의 일"을 나타냄 (보기 : kvar 4 / kvarono 1/4)

da / (전치사) 수량을 나타냄   urbo / 도시

loĝi / 거주하다   ant / (접미사) 진행 능동 분사

aĉeti / 사다 (물건을)   aŭ / 혹은

kulero / 숟가락   forko / 포크

re / (접두사) 반복, 회귀를 나타냄

mono / 돈   prunti / 빌리다

danki / 감사하다   por / (전치사) -을 위하여

peti / 청하다   ankaŭ / 역시

post / (전치사) -후에, -뒤에   kiam / (의문사, 관계사) 언제, -때에

bezoni / -을 필요로 하다   obl / (접미사) "몇 배"를 나타냄 (보기 : du 2 / duobla 2배의)

pagi / 지불하다, 갚다   ŝtofo / 천, 베

kosti / -의 값이 나가다ĉiam / (목록어) 항상
op / (접미사) "무리"를 나타냄 (보기 : du 2 / duope 둘
이서)
ĵeti / 던지다   venki / 승리하다, 이기다
ataki / 공격하다   paĝo / 페이지, 쪽
se / (접속사) -(이)라면 fini / 끝내다, 마치다
tuta / 전부의, 온

-수사에 명사어미 〈-o〉를 붙이면 개수를 나타내거나 단위
를 나타내게 된다.
-수사에 부사어미 〈-e〉를 붙이면 차례를 나타내는 부사가
됨.
-전치사 〈da〉는 수량을 나타내는 전치사이다. 수량의 단
위나 수량을 나타내는 말이 그 앞에 오고 뒤에는 측량하
고자 하는 사물이 온다. 측량하고자 하는 사물이 셀 수
있는 명사면 복수로 쓰고, 그렇지 않고 셀 수 없는 명사
일 때는 단수로 쓴다.
-동사의 미래시제는 어미가 〈-os〉이다.
-수사에 접미사 〈-obl-〉이 쓰이면 〈몇 배〉를 나타내고, 〈-
on-〉이 쓰이면 〈몇 분의 일〉을 나타내며, 〈-op-〉이 쓰이
면 〈집합수〉를 나타낸다.
-동사에 〈-anto〉가 붙으면 〈-하는 사람〉 (능동진행 행위
자)의 뜻이 된다.
-의문사 〈kiam〉이 관계부사로도 쓰인다. 이 관계부사
〈kiam〉이 선행사 없이 쓰일 때에는 그 뜻이 〈-할 때에〉
가 된다.

§15.
La feino (계속)
En unu tago, kiam ŝi estis apud tiu fonto, venis al

ŝi malriĉa virino, kiu petis ŝin, ke ŝi donu al ŝi trinki. "Tre volonte, mia bona", diris la bela knabino. Kaj ŝi tuj lavis sian kruĉon kaj ĉerpis akvon en la plej pura loko de la fonto kaj alportis al la virino, ĉiam subtenante la kruĉon, por ke la virino povu trinki pli oportune. Kiam la bona virino trankviligis sian soifon, ŝi diris al la knabino: "Vi estas tiel bela, tiel bona kaj tiel honesta, ke mi devas fari al vi donacon" (ĉar tio ĉi estis feino, kiu prenis sur sin la formon de malriĉa vilaĝa virino, por vidi, kiel granda estos la ĝentileco de tiu ĉi juna knabino). "Mi faras al vi donacon", daŭrigis la feino, "ke ĉe ĉiu vorto, kiun vi diros, el via buŝo eliros aŭ floro aŭ multekosta ŝtono".

(하루는 그녀가 그 샘 가까이에 있을 때 그녀에게로 한 가난한 여인이 와서는 그녀에게 물을 좀 마시게 해 달라고 부탁하였습니다. "기꺼이 드리죠" 하고 그 아름다운 소녀가 말하였습니다. 그리고 그녀는 곧바로 자기 물통을 씻고는 그 샘의 가장 깨끗한 곳에서 물을 떠서 그 여인에게로 가져 갔습니다. 그리고 그 여인이 좀더 편히 물을 마실 수 있도록 계속 그 물통 밑에 손을 대고 받치고 있었습니다. 그 착한 여인이 갈증을 가라앉힌 뒤에 그녀는 그 소녀에게 말했습니다: "너는 아주 아름답고 착하고 또한 정직하구나. 그래서 나는 네게 선물을 주어야 겠다" (왜냐하면 이는 이 어린 소녀의 예의바름이 얼마나 큰지를 보기 위해 가난한 마을 여인의 모습을 입고 온 요정이었기 때문이다). "나는 네게 선물을 주겠노라" 하고 그 요정은 계속 말하였습니다, "네가 한 마디의 낱말을 말할 때마다 네 입에서 꽃이나 보석이 튀어 나올 것이다".)

fonto / 샘

viro / 남자

tuj / 곧

sub / (전치사) ―아래에

oportuna / 편리한

soifi / 목마르다

preni / 취하다

vilaĝo / 마을

ĉe / (전치사) ―에

riĉa / 부유한

volonte / 기꺼이

lavi / 씻다

teni / 지니고 있다

trankvila / 고요한

donaci / 선물하다

formo / 형태

ĝentila / 예의바른

―접속사 〈ke〉로 이끌리는 종속절에 원망법이 쓰이면 〈―하도록〉으로 해석된다.

―동사에 〈―ante〉가 붙으면 〈―하면서〉 (능동진행 부사형)로 해석된다.

― 〈doni al iu trinki〉는 〈누구에게 물을 마시게 해 주다〉로 해석한다.

---

§16.

Mi legas.

(나는 글을 읽는다.)

Ci skribas (anstataŭ "ci" oni uzas ordinare "vi").

(너는 글을 쓴다 ("ci" 대신 보통 "vi"를 쓴다).)

Li estas knabo, kaj ŝi estas knabino.

(그는 소년이고 그녀는 소녀다.)

La tranĉilo tranĉas bone, ĉar ĝi estas akra.

(그 칼은 잘 든다. 왜냐하면 그것은 날카롭기 때문이다.)

Ni estas homoj.

(우리는 사람이다.)

Vi estas infanoj.

(너희는 아이들이다.)

Ili estas rusoj.

(그들은 러시아인들이다.)

Kie estas la knaboj?

(그 소년들이 어디 있느냐?)

Ili estas en la ĝardeno.

(그들은 정원 안에 있다.)

Kie estas la knabinoj?

(그 소녀들이 어디 있느냐?)

Ili ankaŭ estas en la ĝardeno.

(그들 역시 정원 안에 있다.)

Kie estas la tranĉiloj?

(그 칼들이 어디 있느냐?)

Ili kuŝas sur la tablo.

(그것들은 책상 위에 놓여 있다.)

Mi vokas la knabon, kaj li venas.

(나는 그 소년을 부르고, 그는 온다.)

Mi vokas la knabinon, kaj ŝi venas.

(나는 그 소녀를 부르고, 그녀는 온다.)

La infano ploras, ĉar ĝi volas manĝi.

(그 아이는 운다. 왜냐하면 그는 먹고 싶기 때문이다.)

La infanoj ploras, ĉar ili volas manĝi.

(그 아이들은 운다. 왜냐하면 그들은 먹고 싶기 때문이다.)

Knabo, vi estas neĝentila.

(소년이여, 너는 무례하구나.)

Sinjoro, vi estas neĝentila.

(선생님, 당신은 무례하군요.)

Sinjoroj, vi estas neĝentilaj.

(선생님들, 당신들은 무례하군요.)

Mia hundo, vi estas tre fidela.
(나의 개야, 너는 아주 충성스럽구나.)
Oni diras, ke la vero ĉiam venkas.
(사람들은 진실이 언제나 승리한다고 말한다.)
En la vintro oni hejtas la fornojn.
(겨울에는 사람들이 화로를 땝니다.)
Kiam oni estas riĉa (aŭ riĉaj), oni havas multajn amikojn.
(사람(들)이 부자일 때에는 친구가 많다.)

ci / (대명사) 너	anstataŭ /(전치사)–대신에
uzi / 사용하다	tranĉi / 자르다
il / (접미사) "도구"를 나타냄 (보기 : tondi 자르다 / tondilo 가위 / pafi (총) 쏘다 / pafilo 총)	
ĝardeno / 정원	voki / 부르다
voli / 원하다	fidela / 충실한
vero / 진리	vintro / 겨울
hejti / (불) 때다	forno / 난로

-단수 이인칭대명사 〈ci〉는 손아랫 사람이나 아주 가까운 사람에게 쓴다. 그러나 실제에 있어서는 거의 쓰이지 않고 언제나 〈vi〉를 쓴다.

§17.
La feino (계속)

Kiam tiu ĉi bela knabino venis domen, ŝia patrino insultis ŝin, kial ŝi revenis tiel malfrue de la fonto. "Pardonu al mi, patrino", diris la malfeliĉa knabino, "ke mi restis tiel longe". Kaj kiam ŝi parolis tiujn ĉi vortojn, elsaltis el ŝia buŝo tri rozoj, tri perloj kaj tri grandaj diamantoj. "Kion mi vidas!" diris ŝia patrino kun grandega miro. "Ŝajnas al mi, ke el ŝia buŝo elsaltas perloj kaj diamantoj! De kio tio ĉi venas, mia filino?" (Tio ĉi estis la unua fojo, ke ŝi nomis ŝin sia filino.) La malfeliĉa infano rakontis al ŝi naive ĉion, kio okazis al ŝi, kaj, dum ŝi parolis, elfalis el ŝia buŝo multego da diamantoj. "Se estas tiel", diris la patrino, "mi devas tien sendi mian filinon. Marinjo, rigardu, kio eliras el la buŝo de via fratino, kiam ŝi parolas; ĉu ne estus al vi agrable havi tian saman kapablon? Vi devas nur iri al la fonto ĉerpi akvon; kaj kiam malriĉa virino petos de vi trinki, vi donos ĝin al ŝi ĝentile."

(이 아름다운 소녀가 집으로 왔을 때, 그녀의 어머니는 그녀가 왜 그토록 늦게 샘에서 돌아왔느냐며 그녀를 꾸짖었습니다. "어머니 제가 그렇게 오래 있은 것에 대해서 저를 용서해 주세요" 하고 그 불쌍한 소녀가 말했습니다. 그리고 그녀가 이 말들을 했을 때, 그녀의 입에서는 세 송이의 장미와 세 개의 진주 그리고 세 개의 큰 다이아몬드가 튀어나왔습니다. "아니 이게 뭐람!" 하고 그녀의 어머니는 크게 놀라며 말했습니다. "내가 보기에는 저 아이 입에서 진주와 다이아몬드가 튀어나오는 것 같구나! 내 딸아, 이것이 어찌된 일이냐?" (이것이 그녀가 그 소녀를 자기 딸이라고 부른 처음의 일이었다.) 그 불쌍한 아이는 순진하게도 자기에게 일어났던 모든 일을 그녀에게 이야기하였습니다. 그리고 그녀가 말을 하는 동안 그녀의 입으로부터 많은 다이아몬드가 쏟아져 나왔습니다. "그렇다면", 그 어머니가 말하였습니다, "내 딸을 그곳으로 보내야 겠구나. 마리아야, 네 동생이 말을 할 때 그 입에서 무엇이 나오는지 보아라. 너도 그런 능력을 가진

다면 좋지 않겠니? 너는 물을 길러 샘으로 가기만 하면 된다. 그리고 가난한 여인이 네게 물을 좀 마시게 해 달라고 부탁할 때 너는 친절하게 그녀에게 물을 주어라.")

insulti / 욕하다, 비난하다 kial / (의문사) 왜
frue / 일찍   pardoni / 용서하다
longa / 긴   salti / (높이, 제자리에서)
뛰다
perlo / 진주   granda / 큰, 위대한
diamanto / 다이아몬드   miri / 놀라다
ŝajni / -처럼 보이다   naiva / 순진한
nomi / 이름 붙이다, 이름 짓다 okazi / 발생하다
dum / (전치사) -는 동안   sendi / 보내다
kapabla / 능력 있는, 할 수 있는

-장소를 나타내는 파생부사에 바로 목적격어미를 붙이면 이동의 방향이 나타난다.
- ⟨ŝajnas al mi, ke —⟩는 ⟨—인 것 같다⟩로 해석된다. ⟨al mi⟩는 생략할 수 있다.
-관계대명사로 ⟨kio⟩를 쓸 경우는 다음과 같다:
  1. 선행사가 ⟨tio, io, ĉio, nenio⟩일 때
  2. 선행사가 명사화된 형용사일 때
  3. 앞이나 뒤의 월 자체가 선행사일 때
-착발동사 (iri, veni) 뒤에 동사의 부정법을 쓰면, ⟨-하기 위해 가(오)다⟩로 해석한다.
-동사 ⟨peti⟩는 다음과 같이 쓰인다:
  1. peti de iu ion
  2. peti iun -i

§18.

Li amas min, sed mi lin ne amas.
(그는 나를 사랑하지만, 나는 그를 사랑하지 않는다.)
Mi volis lin bati, sed li forkuris de mi.
(나는 그를 때리려 하였으나, 그가 나로부터 달아나 버렸다.)
Diru al mi vian nomon.
(내게 네 이름을 말하여라.)
Ne skribu al mi tiajn longajn leterojn.
(내게 그렇게 긴 편지들을 써 보내지 말아라.)
Venu al mi hodiaŭ vespere.
(오늘 저녁에 내게 오너라.)
Mi rakontos al vi historion.
(나는 네게 역사를 이야기해 주겠다.)
Ĉu vi diros al mi la veron?
(너는 내게 그 진실을 말해 주겠니?)
La domo apartenas al li.
(그 집은 그의 것이다.)
Li estas mia onklo, ĉar mia patro estas lia frato.
(그는 나의 아저씨이다. 왜냐하면 내 아버지가 그의 형이기 때문이다.)
Sinjoro Petro kaj lia edzino tre amas miajn infanojn; mi ankaŭ tre amas iliajn (infanojn).
(페트로 씨와 그의 부인은 나의 아이들을 아주 사랑한다. 나 역시 그들의 아이들을 아주 사랑한다.)
Montru al ili vian novan veston.
(그들에게 너의 새 옷을 보여 주어라.)
Mi amas min mem, vi amas vin mem, li amas sin mem, kaj ĉiu homo amas sin mem.
(나는 내 자신을 사랑하고, 너는 네 자신을 사랑하고, 그는 그 자신을 사랑하며, 모든 사람은 자기 자신을 사랑한다.)

Mia frato diris al Stefano, ke li amas lin pli, ol sin mem.

(내 형은 그가 자신보다도 스테판을 더 사랑한다고 스테판에게 말했다.)

Mi zorgas pri ŝi tiel, kiel mi zorgas pri mi mem; sed ŝi mem tute ne zorgas pri si kaj tute sin ne gardas.

(나는 내 자신을 돌보듯이 그녀를 돌본다. 그러나 그녀 자신은 자기 자신을 전혀 돌보지 않고 보호하지도 않는다.)

Miaj fratoj havis hodiaŭ gastojn; post la vespermanĝo miaj fratoj eliris kun la gastoj el sia domo kaj akompanis ilin ĝis ilia domo.

(나의 형제들은 오늘 손님을 맞았습니다; 저녁식사 후에 내 형제들은 그 손님들과 함께 자기 집에서 나가 그들의 집까지 그들을 동행했습니다.)

Mi jam havas mian ĉapelon; nun serĉu vi vian.

(나는 내 모자를 벌써 찾았으니 이제 너는 네것을 찾아라.)

Mi lavis min en mia ĉambro, kaj ŝi lavis sin en sia ĉambro.

(나는 내 방 안에서 나를 씻었고, 그녀는 자기 방 안에서 자기 자신을 씻었다.)

La infano serĉis sian pupon; mi montris al la infano, kie kuŝas ĝia pupo.

(그 아이는 자기 인형을 찾았다. 나는 그 아이에게 그의 인형이 어디에 놓여 있는지를 가리켜 주었다.)

Oni ne forgesas facile sian unuan amon.

(사람들은 자기의 첫 사랑을 쉽게 잊지 않습니다.)

kuri / 달리다   vespero / 저녁
ĉu / 의문부사 (-까?)   edzo / 남편

montri / 보여주다
vesti / (옷) 입다
zorgi / 돌보다, 걱정하다
gasto / 손님
행하다
ĝis / (전치사) -까지
pupo / 인형
facila / 쉬운

nova / 새로운
mem / 스스로
gardi / 지키다, 보호하다
akompani / 동반하다, 동

serĉi / 찾다, 찾아 다니다
forgesi / 잊다

-평서문 앞에 〈Ĉu〉가 붙으면 일반의문문 (가부의문문)이
된다.
-삼인칭 재귀대명사 〈si〉의 용법은 다음과 같다:
    1. 주어나 주어구에는 쓰이지 않는다.
    2. 하나의 주어-술어 관계 안에서만 재귀의 영향
을 미친다.
-성별을 정확히 구별할 필요가 없는 경우 (갓난아기 등),
그 대명사로 〈ĝi〉가 쓰이기도 함.

---

§19.
La feino (계속)

"Estus tre bele", respondis la filino malĝentile, "ke mi
iru al la fonto!" — "Mi volas ke vi tien iru", diris la
patrino, "kaj iru tuj!" La filino iris, sed ĉiam
murmurante. Ŝi prenis la plej belan arĝentan vazon,
kiu estis en la loĝejo. Apenaŭ ŝi venis al la fonto, ŝi
vidis unu sinjorinon, tre riĉe vestitan, kiu eliris el la
arbaro kaj petis de ŝi trinki (tio ĉi estis tiu sama
feino, kiu prenis sur sin al formon kaj vestojn de
princino, por vidi, kiel granda estos la malboneco

de tiu ĉi knabino). "Ĉu mi venis tien ĉi", diris al ŝi la malĝentila kaj fiera knabino, "por doni al vi trinki? Certe, mi alportis arĝentan vazon speciale por tio, por doni trinki al tiu ĉi sinjorino! Mia opinio estas: "prenu mem akvon, se vi volas trinki". — "Vi tute ne estas ĝentila", diris la feino sen kolero. "Bone, ĉar vi estas tiel servema, mi faras al vi donacon, ke ĉe ĉiu vorto, kiun vi parolos, eliros el via buŝo aŭ serpento aŭ rano."

("아주 좋겠어요" 하고 그 예의바르지 못한 딸이 대답했습니다, "내가 그 샘으로 가는 것이요!" —"나는 네가 그곳으로 가기를 바란다"라고 그 어머니가 말했습니다, "그리고 지금 당장 가거라!" 그 딸은 갔습니다, 그러나 계속 중얼중얼대면서 갔습니다. 그녀는 집 안에 있는 가장 아름다운 은 항아리를 가지고 갔습니다. 그녀가 그 샘에 도착하자마자 그녀는 부유하게 차려입은 한 부인을 보았습니다. 그 부인은 숲에서 나와 그녀에게 물을 마시게 해 달라고 청했습니다. (이는 같은 요정이었습니다. 그는 이 소녀의 악함이 얼마나 큰지 보려고 공주의 모습을 하고 있었으며 공주의 옷을 입고 있었습니다.) "내가 여기 온 것이", 그 예의 없고 교만한 소녀가 그녀에게 말했습니다, "당신에게 물을 주려고 왔습니까? 분명히 나는 특별히 이 부인에게 물을 주려고 이 은 항아리를 가져왔구나! 만약 당신이 물을 마시고 싶다면 당신 스스로 물을 떠 마시라는 것이 나의 의견입니다." — "너는 전혀 예의가 없구나", 그 요정은 화를 내지 않고 말을 했습니다. "좋다. 네가 그토록 잘 대해 주니 나는 네게 선물을 주겠노라. 네가 하는 말 한 마디 한 마디마다 네 입에서 뱀이나 개구리가 튀어나올 것이다.")

us / 동사 가정법 어미   murmuri / 중얼거리다

vazo / (꽃)병   arĝento / 은

apenaŭ / 겨우, -자마자   ar / (접미사) "집단"을 나

타냄 (보기 : arbo 나무 / arbaro 숲 / ŝtupo (한) 계단 /

ŝtuparo 사다리, 층계)

princo / 왕자   certa / 확실한

speciala / 특별한   opinio / 의견

koleri / 화내다   servi / 섬기다, 봉사하다

em / (접미사) "성질"을 나타냄 (보기 : babili 수다 떨다 /

babilema 수다쟁이의)

serpento / 뱀   rano / 개구리

-가정법은 어미가 〈-us〉이며, 다음과 같은 때에 쓰인다:

　　　　1.사실과 반대되는 일을 가정할 때 (접속사 〈se〉

가 쓰임)

　　　　2.가능성이 희박한 미래를 추측할 때 (접속사

〈se〉가 쓰임)

　　　　3.간절한 바람이나 정중한 부탁 등 표현을 완곡하

게 할 때

-가정법에서는 시제가 나타나지 않는다.

-주어가 보통의 명사로 되어 있지 않고 하나의 절로 되

어 있을 경우, 　그 보어로는 부사가 쓰인다. 　(주어가

동사의 부정법으로 되어 있을 때에도 한가지이다.)

-본래부사 〈apenaŭ〉가 접속사로 쓰이면 〈-하자마자〉의

뜻이 된다.

§20.

Nun mi legas, vi legas, kaj li legas; ni ĉiuj legas.

(지금 내가 글을 읽고, 네가 글을 읽고, 그리고 그가 글을 읽

는다. 우리 모두 글을 읽는다.)

Vi skribas, kaj la infanoj skribas; ili ĉiuj sidas silente

kaj skribas.
(네가 글을 쓰고, 그 아이들도 글을 쓴다. 그들 모두 조용히 앉아서 글을 쓴다.)

Hieraŭ mi renkontis vian filon, kaj li ĝentile salutis min.
(어제 나는 당신의 아들을 만났는데, 그는 예의바르게 나에게 인사를 했습니다.)

Hodiaŭ estas sabato, kaj morgaŭ estos dimanĉo.
(오늘은 토요일이고, 내일은 일요일일 것이다.)

Hieraŭ estis vendredo, kaj post-morgaŭ estos lundo.
(어제는 금요일이었고, 모레는 월요일일 것이다.)

Antaŭ tri tagoj mi vizitis vian kuzon kaj mia vizito faris al li plezuron.
(사흘 전에 나는 네 사촌을 방문하였는데 나의 방문이 그에게 기쁨을 주었다.)

Ĉu vi jam trovis vian horloĝon?
(너는 네 시계를 이미 찾았느냐?)

Mi ĝin ankoraŭ ne serĉis; kiam mi finos mian laboron, mi serĉos mian horloĝon, sed mi timas, ke mi ĝin jam ne trovos.
(나는 그것을 아직 찾아보지 않았다. 내가 일을 끝냈을 때 나는 내 시계를 찾아보겠다. 그러나 그것을 찾지 못할까 두렵다.)

Kiam mi venis al li, li dormis; sed mi lin vekis.
(내가 그에게 갔을 때 그는 자고 있었다. 그러나 나는 그를 깨웠다.)

Se mi estus sana, mi estus feliĉa.
(만약 내가 건강하다면 나는 행복할 텐데.)

Se li scius, ke mi estas tie ĉi, li tuj venus al mi.

(만약 그가 내가 여기 있다는 것을 안다면 그는 곧 내게로 올 것이다.)

Se la lernanto scius bone sian lecionon, la instruanto lin ne punus.

(만약 학생이 자신이 배우는 것을 잘 안다면 (알았다면) 선생님은 그를 벌하지 않(았)을 텐데.)

Kial vi ne respondas al mi?

(너는 왜 내게 답하지 않느냐?)

Ĉu vi estas surda aŭ muta?

(너는 귀가 먹었느냐 아니면 벙어리인가?)

Iru for!

(저리 가거라.)

Infano, ne tuŝu la spegulon!

(얘야, 거울을 건드리지 말아라.)

Karaj infanoj, estu ĉiam honestaj!

(사랑하는 아이들이여, 언제나 정직하여라.)

Li venu, kaj mi pardonos al li.

(그를 오게 하여라. 그러면 내가 그를 용서해 주겠다.)

Ordonu al li, ke li ne babilu.

(그가 시끄럽게 떠들지 않도록 그에게 명령하여라.)

Petu ŝin, ke ŝi sendu al mi kandelon.

(그녀가 내게 초를 보내도록 그녀에게 부탁하여라.)

Ni estu gajaj, ni uzu bone la vivon, ĉar la vivo ne estas longa.

(우리는 즐거워하고 인생을 잘 활용하자. 왜냐하면 인생은 길지 않기 때문이다.)

Ŝi volas danci.

(그녀는 춤추고 싶어 한다.)

Morti pro la patrujo estas agrable.

(조국 때문에 죽는다는 것은 유쾌한 일이다.)

La infano ne ĉesas petoli.

(그 아이는 장난을 멈추지 않는다.)

sidi / 앉아 있다   silenti / 조용하다, 말을
하지 않다

hieraŭ / 어제   renkonti / 만나다

saluti / 인사하다   sabato / 토요일

morgaŭ / 내일   dimanĉo / 일요일

vendredo / 금요일   lundo / 월요일

viziti / 방문하다   kuzo / 사촌 (형제)

plezuro / 기쁨   horloĝo / 시계

timi / 두려워하다, 겁내다   dormi / (잠) 자다

veki / 깨우다   scii / 알고 있다

leciono / 교훈, −과 (교재)   instrui / 가르치다

puni / 벌 주다   surda / 귀먹은

muta / 벙어리의, 말이 없는   tuŝi / 건드리다

spegulo / 거울   kara / 친애하는, 귀한

ordoni / 명령하다   babili /잡담하다, 지껄이다

kandelo / 초 (불 켜는)   gaja / 즐거운

danci / 춤추다   morti / 죽다

petoli / 장난치다 (어린아이) uj / (접미사) "전부를 포함
하는 것" (나무, 그릇(용기), 나라,)을 나타냄 (보기 : pomo
사과 / pomujo 사과나무 / cigaro 담배 / cigarujo 담뱃
갑 / Turko 터키인 / Turkujo 터키)

- 〈명령문 + , kaj —〉는 〈—하여라, 그러면 —〉로 해석한
다.
- 〈명령문 + , aŭ —〉는 〈—하여라, 그렇지 않으면 —〉로

해석한다.

-원망법은, 말할이가 그 월의 주어로 하여금 그 월의 동사로 표현된 행위를 해주기를 바라는 표현법이다.

-이인칭 원망법에서는 주어가 주로 생략된다.

§21.
La feino (계속)

Apenaŭ ŝia patrino ŝin rimarkis, ŝi kriis al ŝi: "Nu, mia filino?" — "Jes, patrino", respondis al ŝi la malĝentilulino, elĵetante unu serpenton kaj unu ranon. — "Ho, ĉielo!" ekkriis la patrino, "kion mi vidas? Ŝia fratino en ĉio estas kulpa;mi pagos al ŝi por tio ĉi!" — Kaj ŝi tuj kuris bati ŝin. La malfeliĉa infano forkuris kaj kaŝis sin en la plej proksima arbaro. La filo de la reĝo, kiu revenis de ĉaso, ŝin renkontis; kaj, vidante, ke ŝi estas tiel bela, li demandis ŝin, kion ŝi faras tie ĉi tute sola kaj pro kio ŝi ploras. — "Ho ve, sinjoro, mia patrino forpelis min el la domo."

(그녀의 어머니가 그녀를 보자마자 소리쳤습니다: "오, 내 딸아, 어떻게 됐지?" — "네, 어머니" 하고 그 예의바르지 못한 소녀가 뱀 한 마리와 개구리 한 마리를 입에서 내뱉으며 그녀에게 대답하였습니다. — "아이구 하나님!" 그 어머니는 소리쳤습니다, "이게 뭐람? 얘 동생이 모든 것을 책임져야 해. 나는 이 일에 대해 그 아이에게 벌을 주겠다." — 그리고 그녀는 곧 그 소녀를 때리려고 달려갔습니다. 그 불쌍한 아이는 도망쳐서 가장 가까운 숲 속에 자신을 숨겼습니다. 사냥에서 돌아오던 임금님의 아들이 그녀를 만났습니다. 그리고 그녀가 아주 아름다운 것을 보고 그는 그녀가 이곳에서 혼자

무엇을 하고 있는지 그리고 무엇 때문에 울고 있는지를 그녀에게 물었습니다. — "흑흑, 아저씨, 내 어머니가 나를 집에서 쫓아냈어요.")

rimarki / 주의하다, 바라보다　krii / 외치다
nu / (감탄사) "자~, 어~"　　jes / 긍정의 부사, "그래,
네"
ek / (접두사) "시작"을 나타냄 (보기 : kanti 노래하다 /
ekkanti 노래를 시작하다 / krii 외치다 / ekkrii 외치기 시
작하다)
kulpa / 잘못한, 죄가 있는　　kaŝi / 숨기다
reĝo / 왕　　　　　　　　ĉasi / 사냥하다
demandi / 묻다 (질문)　　sola / 혼자서
pro / (전치사) - 때문에 ho / (감탄사) "오~" (놀라움)
ve / (감탄사) "저런~" (슬픔)

-상과 태의 접미사들은 다음과 같다:

상＼태	능 동	수 동
진 행	-ant-	-at-
완 료	-int-	-it-
예 정	-ont-	-ot-

-동사에 상과 태의 접미사들이 붙으면 분사가 된다. 그리고 분사에 명사어미가 붙으면 〈사람〉을 나타내고, 형용사어미가 붙으면 분사형용사, 부사어미가 붙으면 분사부사가 된다.

§22.

Fluanta akvo estas pli pura, ol akvo staranta senmove.
(흐르는 물이 움직이지 않고 서 있는 물보다 더 깨끗하다.)
Promenante sur la strato, mi falis.
(길에서 산책하면서 나는 넘어졌다.)
Kiam Nikodemo batas Jozefon, tiam Nikodemo estas la batanto kaj Jozefo estas la batato.
(니코데모가 요제포를 때릴 때, 그때 니코데모는 때리는 사람이고 요제포는 맞는 사람이다.)
Al homo, pekinta senintence, Dio facile pardonas.
(의도 없이 (무의식적으로) 죄를 지은 사람을 하나님은 쉽게 용서해 주신다.)
Trovinte pomon, mi ĝin manĝis.
(사과를 발견하고 나서 나는 그것을 먹었다.)
La falinta homo ne povis sin levi.
(그 떨어진 사람은 자신을 일으켜 세울 수 없었다.)
Ne riproĉu vian amikon, ĉar vi mem pli multe meritas riproĉon; li estas nur unufoja mensoginto dum vi estas ankoraŭ nun ĉiam mensoganto.
(네 친구를 비난하지 말아라. 왜냐하면 너 자신이 더 비난받을 만하기 때문이다. 네가 아직도 항상 거짓말하는 사람인 반면 그는 단지 한 번 거짓말한 사람이다.)
La tempo pasinta jam neniam revenos; la tempon venontan neniu ankoraŭ konas.
(지나간 시간은 결코 돌아오지 않는다. 아무도 앞으로 다가올 시간은 모른다.)
Venu, ni atendas vin, Savonto de la mondo.
(오소서 구세주여, 우리는 당신을 기다립니다.)
En la lingvo "Esperanto" ni vidas la estontan lingvon

de la tuta mondo.

(에스페란토어에서 우리는 전 세계의 미래의 언어를 본다.)

Aŭgusto estas mia plej amata filo.

(아우구스토가 나의 가장 사랑하는 아들이다.)

Mono havata estas pli grava ol havita.

(지금 가진 돈이 전에 가졌던 것보다 더 중요하다.)

Pasero kaptita estas pli bona, ol aglo kaptota.

(잡힌 참새가 잡히려는 독수리보다 더 좋다.)

La soldatoj kondukis la arestitojn tra la stratoj.

(군인들은 그 체포된 사람들을 거리를 통해 끌고 갔다.)

Li venis al mi tute ne atendite.

(그는 전혀 뜻 밖에 내게로 왔다.)

Homo, kiun oni devas juĝi, estas juĝoto.

(재판을 받을 사람은 juĝoto이다.)

flui / 흐르다	movi / 움직이다
strato / (길)거리	fali / 떨어지다
at / 진행 수동 분사	peki / 죄를 짓다
int / 완료 능동 분사	intenci / 의도하다
levi / 들어 올리다	riproĉi / 비난하다
meriti / –의 가치(자격)가 있다	mensogi / 거짓말하다
pasi / 지나가다 "–한 적 없다"	neniam / (목록어) 부정,
ont / 예정 능동 분사 "아무도 –가 아니다"	neniu / (목록어) 부정,
atendi / 기다리다	savi / 구하다, 구출하다
mondo / 세상	lingvo / 언어
grava / 중요한	pasero / 참새
kapti / 잡다	aglo / 독수리

ot / 예정 수동 분사   soldato / 군인
konduki / -로 데려가다   aresti / 체포하다
tra / (전치사) -를 통하여   juĝi / 심판하다, 판단하다

- 〈-anta〉: -하는	- 〈-ante〉: -하면서
- 〈-inta〉: -한	- 〈-inte〉: -하고서
- 〈-onta〉: -하려는	- 〈-onte〉: -하려면서
- 〈-ata〉: -되는	- 〈-ate〉: -되면서
- 〈-ita〉: -된	- 〈-ite〉: -되어서
- 〈-ota〉: -되려는	- 〈-ote〉: -되려면서

§23.
La feino (계속)

La reĝido, kiu vidis, ke el ŝia buŝo eliris kelke da
perloj kaj kelke da diamantoj, petis ŝin, ke ŝi diru al
li, de kie tio ĉi venas. Ŝi rakontis al li sian tutan
aventuron. La reĝido konsideris, ke tia kapablo
havas pli grandan indon, ol ĉio, kion oni povus
doni dote al alia fraŭlino, forkondukis ŝin al la
palaco de sia patro, la reĝo, kie li edziĝis je ŝi. Sed
pri ŝia fratino ni povas diri, ke ŝi fariĝis tiel
malaminda, ke ŝia propra patrino ŝin forpelis de si;
kaj la malfeliĉa knabino, multe kurinte kaj trovinte
neniun, kiu volus ŝin akcepti, baldaŭ mortis en
angulo de arbaro.

(그녀의 입에서 몇 개의 진주와 몇 개의 다이아몬드가 나오
는 것을 본 그 왕자는 그녀에게 이것이 어디로부터 오는지를
그에게 말해줄 것을 부탁했습니다. 그녀는 자기의 모든 모험
을 이야기해 주었습니다. 그 왕자는 그러한 능력이 사람들이

다른 아가씨에게 지참금으로 줄 수 있는 모든 것보다도 더 큰 가치가 있다고 생각하고는 그녀를 왕인 자기 아버지의 궁으로 데리고 가서 그녀에게 장가를 들었습니다. 그러나 그녀의 언니에 관해서 말하자면, 그녀는 아주 미워져서 자기 어머니마저 그녀를 쫓아냈고, 그 불쌍한 소녀는 오랫동안 달려가서 자기를 받아줄 사람을 아무도 발견하지 못하고서는 숲의 한 귀퉁이에서 드디어 죽었습니다.)

kelke / 몇몇의 (수)   aventuro / 모험
konsideri / 고려하다   inda / −의 가치가 있는
doto / 지참금 (결혼)   palaco / 왕궁
iĝ / (접미사) 자동사화 (보기 : pala 창백한 / paliĝi 창백해지다 / sidi 앉아 있다 / sidiĝi 앉다)
je / (전치사) 특정한 뜻 없음, 모든 전치사를 대신할 수 있음, 이것 대신 뒤의 명사를 목적격으로 할 수도 있음.
se / (접속사) 만약 −(이)라면   akcepti / 받아들이다, 영접하다
baldaŭ / 이윽고, 머지 않아   angulo / 구석, 코너

> −접미사 〈-iĝ-〉는 자동사·피동사화 접미사이다.
> − 〈kelke da〉는 〈몇 개의 (수)〉라는 뜻.
> − 〈iom da〉는 〈약간의 (양)〉라는 뜻.

§24.

Nun li diras al mi la veron.
(지금 그는 나에게 진실을 말한다.)
Hieraŭ li diris al mi la veron.
(어제 그는 나에게 진실을 말하였다.)
Li ĉiam diradis al mi la veron.

(그는 항상 나에게 진실을 말하곤 했다.)

Kiam vi vidis nin en la salono, li jam antaŭe diris al mi la veron (aŭ li estis dirinta al mi la veron).

(네가 그 방안에서 우리를 보았을 때, 그는 벌써 그 전에 나에게 그 진실을 말하였다 (혹은, 그가 나에게 그 진실을 말하고 난 뒤였다).)

Li diros al mi la veron.

(그는 나에게 그 진실을 말할 것이다.)

Kiam vi venos al mi, li jam antaŭe diros al mi la veron (aŭ li estos dirinta al mi la veron; aŭ antaŭ ol vi venos al mi, li diros al mi la veron).

(네가 나에게 올 때, 그는 벌써 그 전에 나에게 그 진실을 말할 것이다 (혹은, 그는 나에게 그 진실을 말하고 있을 것이다; 혹은 네가 나에게 오기 전에 그는 나에게 그 진실을 말할 것이다).

Se mi petus lin, li dirus al mi la veron.

(만약 내가 그에게 청한다면, 그는 내게 그 진실을 말할 텐데.)

Mi ne farus la eraron, se li antaŭe dirus al mi la veron (aŭ se li estus dirinta al mi la veron).

(만약 그가 미리 나에게 그 진실을 말하였더라면 (혹은, 만약 그가 나에게 그 진실을 말하고 난 뒤였더라면), 나는 그 실수를 저지르지 않았을 텐데.)

Kiam mi venos, diru al mi la veron.

(내가 도착할 때, 나에게 그 진실을 말하여라.)

Kiam mia patro venos, diru al mi antaŭe la veron (aŭ estu dirinta al mi la veron).

(내 아버지께서 오실 때, 나에게 미리 그 진실을 말하여라 (혹은, 나에게 그 진실을 말하고 나 있어라).)

Mi volas diri al vi la veron.
(나는 네게 그 진실을 말하고자 한다.)

Mi volas, ke tio, kion mi diris, estu vera (aŭ mi volas esti dirinta la veron).
(나는 내가 말한 그것이 진실이기를 바란다 (혹은, 나는 진실을 말했기를 바란다).)

salono / 큰 방, 홀   os / 동사 미래 어미

-복합시제는 〈est- + 능동분사 형용사〉로 이루어진다.
-접속사 ke로 이끌리는 종속절에 원망법이 쓰이면 〈-하도록〉이라고 해석하며, 이때 주절의 동사로는 주로 명령, 바람, 청원 따위의 뜻을 가진 동사가 쓰인다.

§25.

Mi estas amata.	(나는 사랑받고 있다.)
Mi estis amata.	(나는 사랑받고 있었다.)
Mi estos amata.	(나는 사랑받고 있을 것이다.)
Mi estus amata.	(나는 사랑받고 있을 텐데.)
Estu amata.	(사랑받아라.)
Esti amata.	(사랑받는 것; 사랑받을 것.)
Vi estas lavita.	(너는 씻겨져 있다.)
Vi estis lavita.	(너는 씻겨져 있었다.)
Vi estos lavita.	(너는 씻겨져 있을 것이다.)
Vi estus lavita.	(너는 씻겨져 있을 텐데.)
Estu lavita.	(씻겨져 있어라.)
Esti lavita.	(씻겨져 있는 것; 씻겨져 있을 것.)
Li estas invitota.	(그는 초대받으려 한다.)
Li estis invitota.	(그는 초대받으려 했다.)

Li estos invitota.   (그는 초대받으려 할 것이다.)

Li estus invitota.   (그는 초대받으려 할 텐데.)

Estu invitota.   (초대받아라.)

Esti invitota.   (초대받는 것; 초대받을 것.)

Tiu ĉi komercaĵo estas ĉiam volonte aĉetata de mi.
(이 상품은 항상 나에 의해 기꺼이 구입된다.)

La surtuto estas aĉetita de mi, sekve ĝi apartenas al mi.
(그 외투는 나에 의해 구입되었다. 따라서 그것은 나의 것이다.)

Kiam via domo estis konstruata, mia domo estis jam longe konstruita.
(네 집이 건축되고 있었을 때, 나의 집은 벌써 오랫동안 완공되어 있었다.)

Mi sciigas, ke de nun la ŝuldoj de mia filo ne estos pagataj de mi.
(나는 이제부터는 내 아들의 빚이 나에 의해 지불되지 않으리라는 것을 알린다.)

Estu trankvila, mia tuta ŝuldo estos pagita al vi baldaŭ.
(진정하여라. 나의 모든 빚이 네게 곧 지불될 것이다.)

Mia ora ringo ne estus nun tiel longe serĉata, se ĝi ne estus tiel lerte kaŝita de vi.
(만약 내 금반지가 너에 의해 그렇게 교묘하게 숨겨지지 않았다면, 그것이 지금 그렇게 오랫동안 찾아지고 있지 않았을 텐데.)

Laŭ la projekto de la inĝenieroj tiu ĉi fervojo estas konstruota en la daŭro de du jaroj; sed mi pensas, ke ĝi estos konstruata pli ol tri jarojn.

(기사들의 계획에 따르면 이 철도는 2년 간 건설되려고 한
다. 그러나 나는 그것이 3년 이상 건설되고 있으리라 생각한
다.)

Honesta homo agas honeste.

(정직한 사람은 정직하게 행동한다.)

La pastro, kiu mortis antaŭ nelonge (aŭ antaŭ
nelonga tempo), loĝis longe en nia urbo.

(얼마 전에 죽은 그 신부는 오랫동안 우리 도시에 살았다.)

Ĉu hodiaŭ estas varme aŭ malvarme?

(오늘은 더우냐 추우냐?)

Sur la kameno inter du potoj staras fera kaldrono;
el la kaldrono, en kiu sin trovas bolanta akvo, eliras
vaporo; tra la fenestro, kiu sin trovas apud la
pordo, la vaporo iras sur la korton.

(벽난로 위 두 항아리 사이에 쇠솥이 서 있다. 끓는 물이 들
어 있는 그 솥에서 김이 나온다. 문 옆에 있는 창문을 통하
여 그 김은 뜰 위로 간다.)

inviti / 초대(초청)하다   komerci / 장사하다
aĵ / (접미사) "구체적인 물건, 고기"를 나타냄 (보기 : mola
몰랑몰랑한 / molaĵo 몰랑몰랑한 것 / malnova 오래된 /
malnovaĵo 고물 / frukto 과일 / fruktaĵo 과일로 만든
것)
sekvi / 따르다   konstrui / 짓다, 건축하다
ŝuldi / 빚 지다   oro / 금
ringo / 고리, 반지   lerta / 능숙한
projekto / 프로젝트, 설계   inĝeniero / 기사 (기술자)
fero / 쇠   vojo / 길
agi / 행동하다   pastro / 신부 (가톨릭)

kameno / 벽난로 poto / 항아리

kaldrono / 큰 솥 boli / 끓다

vaporo / 수증기 pordo / 문

korto / 뜰, 마당

-피동문은 〈est- + 피동분사 형용사〉로 이루어진다. 피동
문에서 행위자를 나타낼 때에는 전치사 〈de〉를 쓴다.

-무주어문에는 보어가 부사로 쓰인다. 무주어문은 다음의
경우에 쓰인다:

　　1. 기상 표현의 경우

　　2. 감각 표현의 경우

　　3. 자신의 뜻이나 어느 일에 적당함을 나타내는
경우

　　4. 관용적 표현의 경우

---

§26.

Kie vi estas?

(너는 어디에 있느냐?)

Mi estas en la ĝardeno.

(나는 정원 안에 있다.)

Kien vi iras?

(너는 어디로 가느냐?)

Mi iras en la ĝardenon.

(나는 정원 안으로 간다.)

La birdo flugas en la ĉambro (=ĝi estas en la
ĉambro kaj flugas en ĝi).

(그 새는 방 안에서 날고 있다. = 그것은 방 안에 있으며 그
안에서 난다.)

La birdo flugas en la ĉambron (=ĝi estas ekster la ĉambro kaj flugas nun en ĝin).
(그 새는 방 안으로 날아간다. = 그것은 방 밖에 있으며 지금 그 안으로 날아간다.)

Mi vojaĝas en Hispanujo.
(나는 스페인 안에서 여행한다.)

Mi vojaĝas en Hispanujon.
(나는 스페인 안으로 여행해 들어간다.)

Mi sidas sur seĝo kaj tenas la piedojn sur benketo.
(나는 의자 위에 앉아서 발을 벤취 위에 얹어놓았다.)

Mi metis la manon sur la tablon.
(나는 손을 책상 위에 얹었다.)

El sub la kanapo la muso kuris sub la liton, kaj nun ĝi kuras sub la lito.
(긴 안락의자 밑에서 생쥐가 뛰어 나와 침대 밑으로 달려 들어갔다. 그리고 지금 그것은 침대 밑에서 달리고 있다.)

Super la tero sin trovas aero.
(땅 위쪽에 공기가 있다.)

Anstataŭ kafo li donis al mi teon kun sukero, sed sen kremo.
(커피 대신 그는 나에게 설탕은 타고 크림은 타지 않은 차를 주었다.)

Mi staras ekster la domo, kaj li estas interne.
(나는 집 밖에 서 있고 그는 안에 있다.)

En la salono estis neniu krom li kaj lia fianĉino.
(그 방 안에는 그와 그의 약혼녀를 제외하고는 아무도 없다.)

La hirundo flugis trans la riveron, ĉar trans la rivero sin trovis aliaj hirundoj.
(그 제비는 강 건너로 날아갔다. 왜냐하면 강 건너에는 다른

제비들이 있기 때문이다.)

Mi restas tie ĉi laŭ la ordono de mia estro.

(나는 내 대장의 명령에 따라 여기에 남아 있다.)

Kiam li estis ĉe mi, li staris tutan horon apud la fenestro.

(그가 내 집에 있었을 때, 그는 온 종일 창 옆에 서 있었다.)

Li diras, ke mi estas atenta.

(그는 내가 조심스럽다고 말한다.)

Li petas, ke mi estu atenta.

(그는 나에게 조심하라고 부탁한다.)

Kvankam vi estas riĉa, mi dubas, ĉu vi estas feliĉa.

(비록 네가 부유하지만, 나는 네가 행복한지 의심스럽다.)

Se vi scius, kiu li estas, vi lin pli estimus.

(만약 네가 그가 누구인지 알았더라면, 너는 그를 더 존경하였을 텐데.)

Se li jam venis, petu lin al mi.

(그가 벌써 왔으면, 내게로 청해 오너라.)

Ho, Dio! kion vi faras!

(아, 하나님! 무슨 일이십니까!)

Ha, kiel bele!

(아, 정말 아름답구나!)

For de tie ĉi!

(여기서 꺼져!)

Fi, kiel abomene!

(어휴, 밥맛없어!)

Nu, iru pli rapide!

(자, 더 빨리 가거라!)

ekster / (전치사) -의 밖에   vojaĝi / 여행하다

piedo / 발   benko / 긴 의자, 벤취

et / (접미사) "작고, 귀여움"을 나타냄 (보기 : muro 벽 / mureto 작은 벽 / ridi 웃다 / rideti 미소 짓다)

meti / -에 놓다   kanapo / 소파

muso / 쥐   lito / 침대

super / (전치사) -위쪽에 (접촉해 있지 않고 떨어져 있는 상태)

aero / 공기   kafo / 커피

teo / 차 (음료)   sukero / 설탕

kremo / 크림 (음식)   interne / -안에

fianĉo / 약혼자   hirundo / 제비

trans / (전치사) -을 통과하여   rivero / 강

estro / 우두머리   atenta / -을 주의하는

kvankam / (접속사) 비록 -라 할지라도

dubi / 의심하다   estimi / 존경하다

fi / (감탄사) 피~ (경멸) abomeno / 혐오

rapida / 빠른

-전치사 다음에 오는 명사를 목적격으로 하면 이동의 방향이 나타나게 된다.

-의문부사 ĉu로 이끌리는 절이 종속절로 나타나면, 이것은 의문의 종속절이 되며, 해석은 〈—인지 (아닌지)〉가 된다. 그리고 그 주절에는 주로 의문의 뜻을 가진 동사가 쓰인다.

---

§27.

La artikolo 〈la〉 estas uzata tiam, kiam ni parolas pri personoj aŭ objektoj konataj. Ĝia uzado estas tia sama kiel en la aliaj lingvoj. La personoj, kiuj ne komprenas la uzadon de la artikolo (ekzemple Rusoj aŭ Poloj, kiuj ne scias alian lingvon krom sia propra), povas en la unua tempo tute ne uzi la artikolon, ĉar ĝi estas oportuna sed ne necesa. Anstataŭ ⟨la⟩ oni povas ankaŭ diri ⟨l'⟩ (sed nur post prepozicio, kiu finiĝas per vokalo). Vortoj kunmetitaj estas kreataj per simpla kunligado de vortoj; oni prenas ordinare la purajn radikojn, sed, se la bonsoneco aŭ la klareco postulas, oni povas ankaŭ preni la tutan vorton, t.e. la radikon kune kun ĝia gramatika finiĝo. Ekzemploj: skribtablo aŭ skribotablo (=tablo, sur kiu oni skribas); internacia (=kiu estas inter diversaj nacioj); tutmonda (=de la tuta mondo); unutaga (=kiu daŭras unu tagon); vaporŝipo (=ŝipo, kiu sin movas per vaporo); matenmanĝi, tagmanĝi, vespermanĝi; abonpago (=pago por la abono).

(관사 ⟨la⟩는 우리가 알고 있는 사람이나 사물에 관하여 말을 할 때 사용된다. 그것의 용법은 다른 말들에서와 같다. 관사의 용법을 이해하지 못하는 사람들 (예를 들어, 자기 모국어 외에 다른 언어를 모르는 러시아인이나 폴란드인들)은 처음에는 관사를 전혀 쓰지 않아도 된다. 왜냐하면 그것은 편리한 것이지만 꼭 필요한 것은 아니기 때문이다. ⟨la⟩ 대신 우리는 ⟨l'⟩라고 말할 수도 있다 (그러나 모음으로 끝나는 전치사 뒤에서만). 합성어는 낱말들의 단순한 연결로써 만들어지며, 우리는 보통 어근만을 취한다. 그러나 발음을 좋게 하기 위해서나 의미를 명확히 하기 위해서 우리는 온전한 낱말을 취할 수도 있다. 즉 어근과 그 문법적 어미를 함께 취할 수도 있다. 보기: skribtablo 또는 skribotablo (글쓰는

상, 책상); internacia (여러 나라 사이의); tutmonda (온 세상의); unutaga (하루의); vaporŝipo (증기선); matenmanĝi (아침 먹다), tagmanĝi (점심 먹다), vespermanĝi (저녁 먹다); abonpago (구독료).)

artikolo / 관사, 기사 (글)	tiam / (목록어) 그때
objekto / 사물, 목적어	tia / (목록어) 그러한
kompreni / 이해하다	ekzemplo / 본보기, 예
polo / 폴란드인	necesa / 필요한
prepozicio / 전치사	vokalo / 모음
kunmeti / 함께 놓다, 합성하다	simpla / 간단한, 단순한
ligi / 묶다, 연결하다	radiko / 어근, 뿌리
soni / 소리 나다	klara / 분명한, 깨끗한
postuli / 요구하다	gramatiko / 문법
nacio / 국가, 민족	diversa / 여러 가지의
ŝipo / 배 (선박)	matenmanĝi /아침 먹다
aboni / 구독하다	

- 〈sama〉나 〈same〉 다음에는 접속사 〈kiel〉을 쓴다. 그리고 〈malsam-〉 다음에는 접속사 〈ol〉을 쓴다.
-어근과 어근을 합친 합성어를 만들 때, 중심의미의 낱말이 뒤에 온다. 보기를 들어 〈교실〉이라는 낱말은 〈lernoĉambro〉가 되며, 〈철도〉라는 말은 〈fervojo〉가 된다.

§28.

Ĉiuj prepozicioj per si mem postulas ĉiam nur la nominativon. Se ni iam post prepozicio uzas la akuzativon, la akuzativo tie dependas ne de la prepozicio, sed de aliaj kaŭzoj. Ekzemple: por esprimi direkton, ni aldonas al la vorto la finon ⟨n⟩; sekve: tie (=en tiu loko), tien (=al tiu loko); tiel same ni ankaŭ diras: "la birdo flugis en la ĝardenon, sur la tablon", kaj la vortoj 'ĝardenon', 'tablon' staras tie ĉi en akuzativo ne ĉar la prepozicio 'en' kaj 'sur' tion ĉi postulas, sed nur ĉar ni volis esprimi direkton, t.e. montri, ke la birdo sin ne trovis antaŭe en la ĝardeno aŭ sur la tablo kaj tie flugis, sed ke ĝi de alia loko flugis al la ĝardeno, al la tablo (ni volas montri, ke la ĝardeno kaj tablo ne estis la loko de la flugado, sed nur la celo de la flugado); en tiaj okazoj ni uzus la finiĝon ⟨n⟩ tute egale ĉu ia prepozicio starus aŭ ne. −Morgaŭ mi veturos Parizon (aŭ en Parizon). −Mi restos hodiaŭ dome. −Jam estas tempo iri domen. −Ni disiĝis kaj iris en diversajn flankojn: mi iris dekstren, kaj li iris maldekstren. −Flanken, sinjoro! −Mi konas neniun en tiu ĉi urbo. −Mi neniel povas kompreni, kion vi parolas. −Mi renkontis nek lin, nek lian fraton (aŭ mi ne renkontis lin, nek lian fraton).

(모든 전치사는 그 자체가 항상 주격만을 요구한다. 만약 우리가 전치사 뒤에 목적격을 쓴다면, 그곳에서 목적격은 전치사에 달린 것이 아니라 다른 이유들 때문이다. 보기: 방향을 표현하기 위해서 우리는 낱말 뒤에 어미 ⟨n⟩를 덧붙인다; 따라서: tie (=그곳 안에), tien (=그곳으로); 그와 마찬가지로 우리는 "la birdo flugis en la ĝardenon, sur la tablon" 이라고 말한다. 그리고 여기서 'ĝardenon'과 'tablon'이라는 낱말들은 목적격으로 되어 있는데, 이것은 전치사 'en'과

'sur'가 그것을 요구하기 때문이 아니라, 단지 우리가 방향을 표현하고자 하였기 때문이다. 즉, 그 새가 전에는 정원 안이나 탁자 위에 있지 않았으며 그곳에서 날지도 않았으나, 그것이 다른 장소로부터 정원으로, 탁자로 날아 왔다는 것을 나타내고자 했기 때문이다 (우리는 정원과 탁자가 비행의 장소가 아니었고 단지 비행의 목적지였다는 것을 나타내고자 할 따름이다). 그러한 경우에 우리는 어떤 전치사가 있거나 없거나 똑같이 어미 〈n〉를 사용할 수 있다. -내일 나는 파리를 여행할 것이다. -나는 오늘 집에 남아 있겠다. -벌써 집으로 갈 때다. -우리는 헤어졌으며 여러 방면으로 갔다: 나는 오른쪽으로 갔고 그는 왼쪽으로 갔다. -옆으로 좀 비켜주세요, 선생님! -나는 이 도시 안에서 아무도 모른다. -나는 네가 말하는 것을 도저히 이해할 수 없다. -나는 그도 그의 형도 만나지 않았다 (혹은, 나는 그를 만나지 않았으며 그의 형도 만나지 않았다).)

nominativo / 주격

akuzativo / 목적격

dependi / -에 달려 있다

esprimi / 표현하다

celi / 겨냥하다, 목표로 삼다

ia / (목록어) 어떤

dis / (접두사) "분산"을 나타냄 (보기 : iri 가다 / disiri 흩어져 가다 / semi 씨 뿌리다 / dissemi 흩어서 뿌리다 / ŝiri 찢다 / disŝiri 조각조각 찢다)

flanko / 옆, 옆구리, 측면

neniel / (목록어) 부정, "어떻게도 -할 수 없다"

nek ― nek / "-도 아니고 -도 아니다"

iam / (목록어) 언젠가

tie / (목록어) 거기에

kaŭzo / 원인

direkti /-을 향하다 (방향)

egala / 동등한, 똑같은

veturi / 차를 타고 가다

dekstra / 오른쪽의

-목적격어미 〈-n〉의 용법은 다음과 같다:

1. 타동사의 목적어를 나타낸다.
2. 이동의 방향을 나타낸다.

    ①장소를 나타내는 고유명사에 바로 목적격어미
    가 붙을 때 (Li iris Seulon.)

    ②장소를 나타내는 전치사 뒤의 명사에 목적격어
    미가 붙을 때 (Mi iris en la ĉambron.)

    ③장소를 나타내는 파생부사에 바로 목적격어미
    가 붙을 때 (Kien vi iras? — Mi iras hejmen.)

3. 측량을 나타낸다.

    ①시간의 측량 (Mi dormis 10 horojn.)

    ②시각의 측량 (La 7-an horon matene mi
    matenmanĝas.)

    ③무게의 측량 (Mi pezas 60 kilogramojn.)

    ④높이의 측량 (La monto estas 100 metrojn
    alta.)

    ⑤길이의 측량 (La rivero estas 4 kilometrojn
    longa.)

    ⑥거리의 측량 (Li estas 3 paŝojn de la ŝtuparo.)

    ⑦깊이의 측량 (La puto estas 10 metrojn
    profunda.)

    ⑧넓이의 측량 (La placo estas 1000 kvadratajn
    metrojn vasta.)

    ⑨너비의 측량 (La strato estas 100 metrojn
    larĝa.)

    ⑩가격의 측량 (La libro kostas tri mil ŭonojn.)

4. 방식을 나타낸다. (Li metis la glason supron
malsupren.)

5. 전치사 je 대신 그 뒤의 명사를 목적격으로 한다. (이 용법은 위의 용법 (3)을 달리 표현한 것이라 할 수 있다. 왜냐하면 위 (3)은 전치사 je의 용법과도 같기 때문이다.)

§29.

Se ni bezonas uzi prepozicion kaj la senco ne montras al ni, kian prepozicion uzi, tiam ni povas uzi la komunan prepozicion ⟨je⟩. Sed estas bone uzadi la vorton ⟨je⟩ kiel eble pli malofte. Anstataŭ la vorto ⟨je⟩ ni povas ankaŭ uzi akuzativon sen prepozicio. −Mi ridas je lia naiveco (aŭ mi ridas pro lia naiveco, aŭ: mi ridas lian naivecon). −Je la lasta fojo mi vidis lin ĉe vi (aŭ: la lastan fojon). −Mi veturis du tagojn kaj unu nokton. −Mi sopiras je mia perdita feliĉo (aŭ: mian perditan feliĉon). −El la dirita regulo sekvas, ke se ni pri ia verbo ne scias, ĉu ĝi postulas post si la akuzativon (t.e. ĉu ĝi estas aktiva) aŭ ne, ni povas ĉiam uzi la akuzativon. Ekzemple: ni povas diri "obei al la patro" kaj "obei la patron" (anstataŭ "obei je la patro"). Sed ni ne uzas la akuzativon tiam, kiam la klareco de la senco tion ĉi malpermesas; ekzemple: ni povas diri "pardoni al la malamiko" kaj "pardoni la malamikon", sed ni devas diri ĉiam "pardoni al la malamiko lian kulpon".

(우리가 전치사를 쓸 필요가 있으나 그 의미가 우리에게 어떤 전치사를 써야 되는지를 나타내주지 않는다면, 그때 우리는 공통전치사 ⟨je⟩를 사용할 수 있다. 그러나 ⟨je⟩라는 낱말은 될 수 있는 대로 자주 사용하지 않는 것이 좋다. ⟨je⟩

라는 낱말 대신 우리는 전치사를 쓰지 않은 채 목적격을 쓸 수도 있다. -나는 그의 순진함 때문에 웃는다. -지난번에 나는 그를 네 집에서 보았다. -나는 1박2일을 여행했다. -나는 나의 잃어버린 행복을 갈망한다. -위에서 말한 규칙으로부터 다음과 같은 결론이 나온다. 즉, 우리가 어떤 동사에 대해서 그것이 그 뒤에 목적격을 요구하는지 (즉, 그것이 타동사인지) 아니 하는지를 모를 경우, 우리는 항상 목적격을 쓸 수 있다는 것이다. 보기: 우리는 "obei al la patro" (아버지께 순종하다)라고도 말할 수 있으며 "obei la patron" ("obei je la patro" 대신)라고도 말할 수 있다. 그러나 그 의미의 명확성이 이것을 허용하지 않을 때에는 우리는 목적격을 사용하지 않는다. 보기: "pardoni al la malamiko" (원수를 용서하다)라고도 말할 수 있고 "pardoni la malamikon"이라고도 말할 수 있다. 그러나 (목적어가 두 가지 있을 경우에는 - 역자 주) 항상 "pardoni al la malamiko lian kulpon" (원수에게 그의 죄를 용서해주다)이라고 말해야만 한다.)

senco / 의미
ebla / (접미사) "-가 가능한"을 나타냄 (수동의 뜻)
ofte / 자주
lasta / 마지막의, 최근의
regulo / 규칙, 규정
obei / 복종하다, 따르다

komuna / 공동의
ridi / 웃다
sopiri / 갈망하다
verbo / 동사
permesi / 허락(허용)하다

-전치사 〈je〉의 용법은 다음과 같다:
 1. 높이: La monto estas alta je 100 metroj.
 2. 길이: La rivero estas longa je 10 kilometroj.
 3. 너비: La strato estas larĝa je 20 metroj.

§30.

Ia, ial, iam, ie, iel, ies, io, iom, iu. —La montritajn naŭ vortojn ni konsilas bone ellerni, ĉar el ili ĉiu povas jam fari al si grandan serion da aliaj pronomoj kaj adverboj. Se ni aldonas al ili la literon ⟨k⟩, ni ricevas vortojn demandajn aŭ rilatajn: kia, kial, kiam, kie, kiel, kies, kio, kiom, kiu. Se ni aldonas la literon ⟨t⟩, ni ricevas vortojn montrajn: tia, tial, tiam, tie, tiel, ties, tio, tiom, tiu. Aldonante la literon ⟨ĉ⟩, ni ricevas vortojn komunajn: ĉia, ĉial, ĉiam, ĉie, ĉiel, ĉies, ĉio, ĉiom, ĉiu. Aldonante la prefikson ⟨nen⟩, ni ricevas vortojn neajn: nenia, nenial, neniam, nenie, neniel, nenies, nenio, neniom, neniu. Aldonante al la vortoj montraj la vorton ⟨ĉi⟩, ni ricevas montron pli proksiman; ekzemple: tiu (pli malproksima), tiu ĉi (aŭ ĉi tiu) (pli proksima); tie (malproksime), tie ĉi aŭ ĉi tie (proksime). Aldonante al la vortoj demandaj la vorton ⟨ajn⟩, ni ricevas vortojn sendiferencajn: kia ajn, kial ajn, kiam ajn, kie ajn, kiel ajn, kies ajn, kio ajn, kiom ajn, kiu ajn. Ekster tio el la diritaj vortoj ni povas ankoraŭ fari aliajn vortojn, per helpo de gramatikaj finiĝoj kaj aliaj vortoj (sufiksoj); ekzemple: tiama, ĉiama, kioma, tiea, ĉi-tiea, tieulo, tiamulo, k.t.p. (=kaj tiel plu).

(ia (막연히 어떠한), ial (막연히 어떤 이유로), iam (막연히 어떤 때), ie (막연히 어떤 곳), iel (막연히 어떤 방법으로), ies (막연히 누군가의), io (막연히 무엇인가), iom (막연히 얼마 정도, 약간), iu (막연히 누군가, 또는 막연히 그 어느).
–이 9개의 낱말들을 잘 익혀두길 바란다. 왜냐하면 이들로부터 어느 누구라도 일련의 다른 여러 대명사와 부사들을 만들 수 있기 때문이다. 우리가 그것들에 ⟨k⟩라는 글자를 덧붙인다면 우리는 의문사 또는 관계사를 얻을 수 있다: kia, kial, kiam, kie, kiel, kies, kio, kiom, kiu. 우리가 ⟨t⟩라는 글자를 덧붙이면 우리는 지시사를 얻을 수 있다: tia, tial, tiam, tie, tiel, ties, tio, tiom, tiu. ⟨ĉ⟩라는 글자를 덧붙임으로써 우리는 전체사(全體辭)를 얻는다: ĉia, ĉial, ĉiam, ĉie, ĉiel, ĉies, ĉio, ĉiom, ĉiu. 접두사 ⟨nen⟩을 덧붙임으로써 우리는 부정사(否定辭)를 얻는다: nenia, nenial, neniam, nenie, neniel, nenies, nenio, neniom, neniu. 지시사들에 ⟨ĉi⟩라는 낱말을 덧붙임으로써 우리는 더 가까운 지시를 얻는다. 보기: tiu (그이, 그), tiu ĉi (이이, 이), tie (거기, 저기), tie ĉi 또는 ĉi tie (여기). 의문사들에 ⟨ajn⟩이라는 낱말을 덧붙임으로써 우리는 무차별을 나타내는 낱말들을 얻는다: kia ajn, kial ajn, kiam ajn, kie ajn, kiel ajn, kies ajn, kio ajn, kiom ajn, kiu ajn. 그 밖에도 우

리는 문법적 어미와 다른 낱말들 (접미사들)의 도움으로 이미 언급된 낱말들로부터 또 다른 낱말들을 만들 수 있다. 보기: tiama (그때의), ĉiama (항상의), kioma (언제의), tiea (그곳의), ĉi-tiea (이곳의), tieulo (그곳 사람), tiamulo (그때의 사람) 등등.)

ia / (목록어) 어떤
ial / (목록어) 어떤 이유로
iam / (목록어) 언젠가
ie / (목록어) 어디엔가
iel / (목록어) 어떻게 하여 (소유)
ies / (목록어) 누군가의
io / (목록어) 무엇인가 로 (수량), 조금, 약간
iom / (목록어) 어느 정도
iu / (목록어) 누군가
konsili / 조언하다
serio / 시리즈, 일련
pronomo / 대명사
adverbo / 부사
litero / 글자
rilati / 관계하다
prefikso / 접두사
ajn / "-든지"
diferenci / 다르다
helpi / 돕다
sufikso / 접미사

–상관사(목록어) 목록은 다음과 같다:

	지시 ti-	의문 ki-	전체 ĉi-	비한정 i-	부정 neni-
개체,사람,사물 (-u)	tiu	kiu	ĉiu	iu	neniu
개념,사물 (-o)	tio	kio	ĉio	io	nenio
성질,형용 (-a)	tia	kia	ĉia	ia	nenia
소유 (-es)	ties	kies	ĉies	ies	nenies
장소 (-e)	tie	kie	ĉie	ie	nenie
시각,시간 (-am)	tiam	kiam	ĉiam	iam	neniam
방법,상태,정도 (-el)	tiel	kiel	ĉiel	iel	neniel

이유 (-al)	tial	kial	ĉial	ial	nenial
수량 (-om)	tiom	kiom	ĉiom	iom	neniom

-상관사에는 다시 문법적 어미나 접사 들이 필요에 따라 붙을 수 있다.

-의문사 가운데 〈kiu, kio, kia〉는 관계대명사로도 쓰이고, 〈kie, kiam, kiel, kial, kiom〉은 관계부사로도 쓰인다.

§31.

Lia kolero longe daŭris. −Li estas hodiaŭ en kolera humoro. −Li koleras kaj insultas. −Li fermis kolere la pordon. −Lia filo mortis kaj estas nun malviva. −La korpo estas morta, la animo estas senmorta. −Li estas morte malsana, li ne vivos pli, ol unu tagon. − Li parolas, kaj lia parolo fluas dolĉe kaj agrable. −Ni faris la kontrakton ne skribe, sed parole. −Li estas bona parolanto. −Starante ekstere, li povis vidi nur la eksteran flankon de nia domo. −Li loĝas ekster la urbo. −La ekstero de tiu ĉi homo estas pli bona, ol lia interno. −Li tuj faris, kion mi volis, kaj mi dankis lin por la tuja plenumo de mia deziro. −Kia granda brulo! kio brulas? −Ligno estas bona brula materialo. −La fera bastono, kiu kuŝis en la forno, estas nun brule varmega. −Ĉu li donis al vi jesan respondon aŭ nean? −Li eliris el la dormoĉambro kaj eniris en la manĝoĉambron. −La birdo ne forflugis: ĝi nur deflugis de la arbo, alflugis al la domo kaj surflugis sur la tegmenton. −Por ĉiu aĉetita funto da teo tiu ĉi komercisto aldonas senpage funton da sukero. −

Lernolibron oni devas ne tralegi, sed tralerni. -Li portas rozokoloran superveston kaj teleroforman ĉapelon. -En mia skribotablo sin trovas kvar tirkestoj. -Liaj lipharoj estas pli grizaj, ol liaj vangharoj.

(그의 화는 오래 지속되었다. -그는 오늘 화난 기분이다. -그는 화내며 욕을 한다. -그는 화난듯이 그 문을 닫았다. -그의 아들은 죽어서 이제 생명이 없다. -육체는 죽게 되어 있으며, 영혼은 영생한다. -그는 죽도록 아파서, 하루 이상을 더 살지 못한다. -그는 말하며, 그의 말은 달콤하고 유쾌하게 흐른다. -우리는 말로써가 아니라 글로써 협정을 맺었다. -그는 좋은 화자(話者)이다 (그는 말을 잘한다). -밖에 서서 그는 우리 집의 외부만을 볼 수 있었다. -그는 도시 밖에 살고 있다. -이 사람의 외모는 그 내면보다 더 좋다. -그는 내가 원한 것을 곧 했으며 나는 내 바람의 빠른 시행에 대해 그에게 감사했다. -얼마나 큰 화재인가! 무엇이 타는가? -목재는 좋은 땔감이다. -화로 안에 놓여 있었던 쇠막대기는 지금 불타듯이 뜨겁다. -그가 네게 긍정적인 답을 주었니, 부정적인 답을 주었니? -그는 침실에서 나가서 식당방으로 들어갔다. -그 새는 날아가버리지 않았다: 그것은 다만 그 나무에서 날아가서 그 집으로 날아갔고 또 그 지붕 위에 날아앉았다. -모든 구입된 한 파운드의 차마다 이 상인은 무료로 한 파운드의 설탕을 덤으로 준다. -교과서는 쭉 읽어서 될 게 아니고 모두 배워야 된다. -그는 장미색 외투를 입고 접시 모양의 모자를 쓰고 있다. -나의 책상에는 네개의 서랍이 있다. -그의 수염은 그의 구레나룻보다 더 희다.)

humoro / 기분　　　　　　fermi / 닫다
korpo / 몸　　　　　　　animo / 영혼

kontrakti / 계약하다 um / (접미사) 특별한 뜻
없음 (보기 : plenumi 수행하다)
bruli / 불타다 ligno / 목재
materialo / 재료 bastono / 지팡이
tegmento / 지붕 funto /파운드 (무게 단위)
ist / (접미사) "직업을 가진 사람, 어떤 주의나 신념의 신봉
자"를 나타냄 (보기 : boto 장화 / botisto 구두쟁이 /
maro 바다 / maristo 선원)
koloro / 색깔 supre / 위에
telero / 접시 tero / 땅, 흙, 지구
kesto / 상자 lipo / 입술
haro / 머리카락, 털 griza / 회색의
vango / 뺨

- ⟨danki⟩ 다음에는 전치사 ⟨por, pri, pro⟩ 등이 온다.

§32.

Teatramanto ofte vizitas la teatron kaj ricevas
baldaŭ teatrajn manierojn. ‐Kiu okupas sin je
meĥaniko, estas meĥanikisto, kaj kiu okupas sin je
ĥemio, estas ĥemiisto. ‐Diplomatiiston oni povas
ankaŭ nomi diplomato, sed fizikiston oni ne povas
nomi fiziko, ĉar fiziko estas la nomo de la scienco
mem. ‐La fotografisto fotografis min, kaj mi sendis
mian fotografaĵon al mia patro. ‐Glaso de vino estas
glaso, en kiu antaŭe sin trovis vino, aŭ kiun oni
uzas por vino; glaso da vino estas glaso plena je
vino. ‐Alportu al mi metron da nigra drapo (metro
de drapo signifus metron, kiu kuŝis sur drapo, aŭ

kiu estas uzata por drapo). ―Mi aĉetis dekon da ovoj. ―Tiu ĉi rivero havas ducent kilometrojn da longo. ―Sur la bordo de la maro staris amaso da homoj. ―Multaj birdoj flugas en la aŭtuno en pli varmajn landojn. ―Sur la arbo sin trovis multe (aŭ multo) da birdoj. ―Kelkaj homoj sentas sin la plej feliĉaj, kiam ili vidas la suferojn de siaj najbaroj. ―En la ĉambro sidis nur kelke da homoj. ― 〈Da〉 post ia vorto montras, ke tiu ĉi vorto havas signifon de mezuro.

(연극애호가는 극장을 자주 찾고 곧 연극적인 방식을 익히게 된다. ―기계학에 종사하는 사람은 기계기술자이고, 화학에 종사하는 사람은 화학자이다. ―Diplomatiisto(외교관)를 diplomato라 불러도 되지만 fizikisto(물리학자)를 fiziko(물리학)라 부를 수는 없다. 왜냐하면 fiziko는 학문 자체의 이름이기 때문이다. ―사진사가 나를 사진 찍었고 나는 내 사진을 나의 아버지께 보냈다. ― 〈Glaso de vino〉 (포도주 잔)는 전에 포도주가 담겨 있던 잔이거나 아니면 포도주를 위해 쓰는 잔이다; 〈glaso da vino〉 (한잔의 포도주)는 포도주가 가득 찬 잔이다. ―내게 일 미터의 검은 천을 가져다 다오 (〈metro de drapo〉는 〈천 위에 놓여 있던 자〉나 혹은 〈천을 위해 쓰이는 자〉를 의미할 것이다). ―나는 계란 한 꾸러미 (열 개)를 샀다. ―이 강은 길이가 200킬로미터이다. ―해변 위에 한 무리의 사람들 (많은 사람들)이 서 있었다. ―많은 새들이 가을에는 더 따뜻한 나라들로 날아간다. ―나무 위에 많은 새들이 있었다. ―몇몇 사람은 자기 이웃의 고통을 볼 때 가장 행복해 한다. ―방 안에는 다만 몇 명만이 앉아 있었다. ―어떤 낱말 뒤의 〈da〉는 그 낱말에 측정의 의미가 있다는 것을 알려준다.)

teatro / 극장
okupi / 점령하다
ĥemio / 화학
fiziko / 물리학
glaso / 유리잔
drapo / 천
ovo / 달걀
maro / 바다
aŭtuno / 가을
suferi / 고통을 당하다
mezuri / 재다 (측량)

maniero / 방식
meĥaniko / 기술
diplomatio / 외교
scienco / 과학
nigra / 검은
signifi / 뜻하다
bordo / 바닷가, 물가
amaso / 많은 무리
lando / 나라, 땅
najbaro / 이웃

-에스페란토의 음소 가운데 /ĥ/는 자주 쓰이지 않는다. 그리고 이것이 쓰인 낱말들 대부분은 이 발음이 까다로운 /ĥ/ 대신에 /k/를 대치시킨다. (보기: ĥemio 대신 kemio)
-접미사 <-ist->가 붙으면 <어떤 직업을 가진 사람, 어떤 주의의 신봉자> 등을 나타내게 된다.
-전치사 <da>는 수량을 나타내는 전치사로서, 앞에는 수량을 나타내는 말 (주로 단위를 나타내는 말)이 오고 뒤에는 그 수량 측정의 대상물이 온다. 그 대상물은 셀 수 있는 말일 경우에는 복수로 쓰고 셀 수 없는 말일 경우에는 단수로 쓴다.

§33.

Mia frato ne estas granda, sed li ne estas ankaŭ malgranda: li estas de meza kresko. -Li estas tiel dika, ke li ne povas trairi tra nia mallarĝa pordo. - Haro estas tre maldika. -La nokto estis tiel malluma, ke ni nenion povis vidi eĉ antaŭ nia nazo. -Tiu ĉi malfreŝa pano estas malmola, kiel ŝtono. -Malbonaj infanoj amas turmenti bestojn. -Li sentis sin tiel malfeliĉa, ke li malbenis la tagon, en kiu li estis naskita. -Mi forte malestimas tiun ĉi malnoblan homon. -La fenestro longe estis nefermita; mi ĝin fermis, sed mia frato tuj ĝin denove malfermis. - Rekta vojo estas pli mallonga, ol kurba. -La tablo staras malrekte kaj kredeble baldaŭ renversiĝos. -Li staras supre sur la monto kaj rigardas malsupren sur la kampon. -Malamiko venis en nian landon. -Oni tiel malhelpis al mi, ke mi malbonigis mian tutan laboron. -La edzino de mia patro estas mia patrino kaj la avino de miaj infanoj. -Sur la korto staras koko kun tri kokinoj. -Mia fratino estas tre bela knabino. -Mia onklino estas bona virino. -Mi vidis vian avinon kun ŝiaj kvar nepinoj kaj kun mia nevino. -Lia duonpatrino estas mia bofratino. -Mi havas bovon kaj bovinon. -La juna vidvino fariĝis denove fianĉino.

(내 동생(형, 오빠)은 크지 않지만 작지도 않다: 그는 중간치이다. -그는 너무 뚱뚱하여 우리의 좁은 문을 통해 나갈 수가 없다. -털은 아주 가늘다. -그 밤은 아주 어두워서 우리는 우리 코앞조차 볼 수 없었다. -이 오래된 빵은 돌처럼 딱딱하다. -나쁜 어린이들은 짐승들을 괴롭히길 좋아한다. -그는 자신을 아주 불행하게 느끼고는 그가 태어난 날을 저주하였다. -나는 이 비열한 인간을 대단히 경멸한다. -그 창은 오래 열려 있었다; 나는 그것을 닫았으나 내 동생(형, 오빠)이 그것을 곧 다시 열었다. -바른 길은 굽은 길보다 더 짧

다. -그 책상은 비스듬히 서 있다. 그래서 아마도 곧 쓰러질 것이다. -그는 그 산 위에 서서 들판 위를 내려다보았다. -적이 우리나라 안으로 왔다. -사람들이 나를 아주 방해하였기 때문에 나는 나의 모든 일을 망쳤다. -내 아버지의 아내는 내 어머니이며 내 아이들의 할머니이다. -뜰 위에는 세 마리의 암탉과 한 마리의 수탉이 있다. -내 여동생(누나, 언니)은 아주 아름다운 소녀이다. -내 아주머니는 좋은 여인이다. -나는 네 할머니가 그녀의 손녀 네명과 나의 질녀와 함께 있는 것을 보았다. -그의 계모는 나의 형수(제수, 올케, 시누이)이다. -내게는 황소와 암소가 있다. -그 젊은 과부는 다시 약혼녀가 되었다.)

mezo / 가운데

kreski / 자라다 (식물 등)

dika / 두꺼운, 뚱뚱한

larĝa / 넓은

lumi / 빛나다

mola / 몰랑몰랑한

turmenti / 괴롭히다

senti / 느끼다

beni / 축복하다

nobla / 고귀한

rekta / 직각의, 바른

kurba / 휘어진

kredi / 믿다

renversi / 뒤엎다

monto / 산

kampo / 들

koko / 수탉

nepo / 손자

nevo / 조카

bo / (접두사) "결혼에 의한 관계"를 나타냄 (보기 : patro 아버지 / bopatro 시아버지, 장인 / patrino 어머니 / bopatrino 시어머니, 장모 / frato 형제 / bofrato 자형, 형부, 시동생, 처남 등)

duonpatro / 의붓아버지

bovo / 황소

- <est->동사 다음에 <de+추상명사>로써 그 추상명사의 형용사형과 같이 보어의 역할을 하게 하는 일도 있으나,

이것은 그렇게 자주 쓰이지 않는 방법이다.

- ⟨tiel ―, ke ...⟩는 ⟨너무나 ―하여, ...하다⟩로 해석된다.

-관계부사는 ⟨전치사+관계대명사⟩로 바꿀 수도 있다.

-접두사 ⟨mal-⟩은 반대 또는 부정의 뜻을 나타낸다.

§34.

La trancîlo estis tiel malakra, ke mi ne povis trancî per ĝi la viandon kaj mi devis uzi mian poŝan trancîlon. ⁻Ĉu vi havas korktirilon, por malŝtopi la botelon? ⁻Mi volis ŝlosi la pordon, sed mi perdis la ŝlosilon. ⁻Ŝi kombas al si la harojn per arĝenta kombilo. ⁻En somero ni veturas per diversaj veturiloj, kaj en vintro ni veturas per glitveturilo. ⁻ Hodiaŭ estas bela frosta vetero, tial mi prenos miajn glitilojn kaj iros gliti. ⁻Per hakilo ni hakas, per segilo ni segas, per fosilo ni fosas, per kudrilo ni kudras, per tondilo ni tondas, per sonorilo ni sonoras, per fajfilo ni fajfas. ⁻Mia skribilaro konsistas el inkujo, sablujo, kelke da plumoj, krajono kaj inksorbilo. ⁻Oni metis antaŭ mi manĝilaron, kiu konsistis el telero, kulero, trancîlo, forko, glaseto por brando, glaso por vino kaj telertuketo. ⁻En varmega tago mi amas promeni en arbaro. ⁻Nia lando venkos, ĉar nia militistaro estas granda kaj brava. ⁻Sur kruta ŝtuparo li levis sin al la tegmento de la domo. ⁻Mi ne scias la lingvon hispanan, sed per helpo de vortaro hispana⁻germana mi tamen komprenis iom vian leteron. ⁻Sur tiuj ĉi vastaj kaj herboriĉaj kampoj paŝtas sin grandaj

brutaroj precipe aroj da bellanaj ŝafoj.
(그 칼은 아주 무디어서 나는 그것으로 고기를 자를 수 없었고 나는 내 주머니 칼을 써야만 했었다. -네게는 병을 따기 위한 콜크따개가 있니? -나는 그 문을 열려고 했지만 열쇠를 잃어버렸다. -그녀는 은빗으로 머리를 빗는다. -여름에 우리는 여러 가지 교통수단으로 교통하며 겨울에는 썰매로 교통한다. -오늘은 화창하고 차가운 날씨이니 나는 내 스케이트를 꺼내어서 스케이트를 타러 가겠다. -우리는 도끼로써 (나무를) 찍고, 톱으로 자르고, 삽으로 땅을 파고 (삽질하고), 바늘로써 바느질을 하고, 가위로 자르고 (가위질하고), 종으로 종소리를 내고, 호각으로 호각분다. -내 필기구는 잉크병, 모래주머니, 펜 몇 자루, 연필 그리고 잉크흡수기로 구성되어 있다. -사람들은 내 앞에 식기를 놓았는데, 그것은 접시, 숟가락, 칼, 포크, 브랜디용 작은 잔, 포도주용 큰 잔 그리고 넵킨으로 이루어져 있었다. -더운 날에 나는 숲에서 산책하기를 좋아한다. -우리나라는 이길 것이다. 왜냐하면 우리의 군대는 크고 용감하기 때문이다. -가파른 사다리 위에서 그는 그 집의 지붕으로 올랐다. -나는 스페인말을 모르지만, 스페인어-독일어 사전의 도움으로 나는 네 편지를 조금 이해할 수 있었다. -이 광활하고 풀많은 들판 위에 큰 가축 떼들, 특히 털이 아름다운 양 무리들이 풀을 뜯고 있다 (방목되고 있다).)

viando / (육)고기
korko / 코르크
ŝtopi / 메우다, 채워 넣다
ŝlosi / 잠그다
somero / 여름
러지다

poŝo / 주머니
tiri / 끌다
botelo / 병
kombi / 빗다
gliti / 미끄럼 타다, 미끄

frosto / 서리
haki / 패다 (도끼로)
fosi / 구덩이를 파다
tondi / 천둥 치다
fajfi / 휘파람을 불다
sablo / 모래
brando / (술) 브랜디
militi / 전쟁 치다
kruta / 가파른
Hispano / 스페인인
tamen / 그렇지만, 그럼에도 불구하고
vasta / 넓은, 광범위한
paŝti / 방목하다, 풀을 먹이다
precipe / 특(별)히
ŝafo / 양

vetero / 날씨
segi / 톱질하다
kudri / 바느질하다
sonori / (종이) 울리다
inko / 잉크
sorbi / 흡수하다
tuko / 수건
brava / 용감한
ŝtupo / 계단
Germano / 독일인

herbo / 풀
bruto / 가축
lano / 양털

- 〈kombi al si la harojn〉이라는 표현은 〈kombi siajn harojn〉과 같은 표현이다.
-착발동사 (iri, veni) 다음에 동사의 불변화법이 오면, 이것은 〈-하러 가(오)다〉의 뜻이 된다.
-접미사 〈-il-〉은 〈도구, 기구〉의 뜻을 가지고 있으며, 도구나 기구를 나타낼 때에는 전치사 〈per〉를 쓴다.
-접미사 〈-ar-〉는 〈집합체〉를 나타낸다. 단순한 복수가 아님.

§35.

Vi parolas sensencaĵon, mia amiko. -Mi trinkis teon kun kuko kaj konfitaĵo. -Akvo estas fluidaĵo. -Mi ne volis trinki la vinon, ĉar ĝi enhavis en si ian

suspektan malklarajon. −Sur la tablo staris diversaj
sukerajoj. −En tiuj ĉi boteletoj sin trovas diversaj
acidoj: vinagro, sulfuracido, azotacido kaj aliaj. −Via
vino estas nur ia abomena acidaĵo. −La acideco de
tiu ĉi vinagro estas tre malforta. −Mi manĝis
bongustan ovaĵon. −Tiu ĉi granda altaĵo ne estas
natura monto. −La alteco de tiu monto ne estas tre
granda. −Kiam mi ien veturas, mi neniam prenas
kun mi multon da pakaĵo. −Ĉemizojn, kolumojn,
manumojn kaj ceterajn similajn objektojn ni nomas
tolaĵo, kvankam ili ne ĉiam estas faritaj el tolo. −
Glaciaĵo estas dolĉa glaciigita frandaĵo. −La riĉeco
de tiu ĉi homo estas granda, sed lia malsaĝeco estas
ankoraŭ pli granda. −Li amas tiun ĉi knabinon pro
ŝia beleco kaj boneco. −Lia heroeco tre plaĉis al mi.
−La tuta supraĵo de la lago estis kovrita per naĝantaj
folioj kaj diversaj aliaj kreskaĵoj. −Mi vivas kun li en
granda amikeco.
(친구여, 자네는 쓸데없는 말을 하고 있구만. −나는 과자와
잼을 곁들여 차를 마셨다. −물은 액체이다. −나는 그 포도주
를 마시고 싶지 않았다. 왜냐하면 그 안에는 의심쩍은 더러
운 것이 있었기 때문이다. −책상 위에는 여러 가지 사탕들이
있었다. −이 병들 안에는 여러 가지 산(酸)들이 있다: 식초,
황산, 질산 등등. −네 포도주는 다만 하나의 혐오스러운 산
에 불과하다. −이 식초의 산성은 아주 약하다. −나는 맛좋은
계란요리를 먹었다. −이 큰 고원은 자연의 산이 아니다. −그
산의 높이는 그렇게 크지 않다. −나는 어디론가 차를 타고
갈 때 절대 짐을 많이 지니지 않는다. −셔츠, 옷깃, 소매 그
리고 기타 다른 비슷한 물건들을 우리는, 비록 그것들이 꼭

tolo (아마포)로 만들어지지 않았다 하더라도, tolaĵo (천으로 만든 것)라 부른다. −얼음과자는 달콤한 얼린 과자이다. −이 사람의 부는 크다. 그렇지만 그의 미련함은 더더욱 크다. −그는 이 소녀를 그 아름다움과 착함 때문에 사랑한다. −그의 영웅성은 무척 내 마음에 들었다. −그 호수의 전 수면이 떠도는 (헤엄치는) 잎사귀들과 여러 다른 식물들로 덮여 있었다. −나는 그와는 큰 우정 가운데 살고 있다 (나는 그와 사이가 좋다).)

kuko / 과자	konfiti / 잼을 만들다
fluida / 액체의	suspekti / 의심하다
acida / 신 (맛)	vinagro / 식초
sulfuro / 황	azoto / 질소
gusto / 맛	alta / 높은
naturo / 자연	paki / (짐을) 싸다, 꾸리다
ĉemizo / 셔츠	kolo / 목
cetera / 그 외의	tolo / 천
glacio / 얼음	frandi / 군것질하다
heroo / 영웅	plaĉi / −의 마음에 들다
lago / 호수	kovri / 덮다
naĝi / 헤엄치다	folio / 잎, 종이 쪽

−접미사 〈-aĵ-〉는 〈구체적 물건〉을 나타낸다. 그리고 이것이 동물 이름에 붙을 경우에는 그 동물의 고기로 만든 음식을 뜻한다.
−접미사 〈-ec-〉는 〈추상명사〉를 만드는 접미사다.

§36.

Patro kaj patrino kune estas nomataj gepatroj. −

Petro, Anno kaj Elizabeto estas miaj gefratoj. – Gesinjoroj N. hodiaŭ vespere venos al ni. –Mi gratulis telegrafe la junajn geedzojn. –La gefianĉoj staris apud la altaro. –La patro de mia edzino estas mia bopatro, mi estas lia bofilo, kaj mia patro estas la bopatro de mia edzino. –Ĉiuj parencoj de mia edzino estas miaj boparencoj, sekve ŝia frato estas mia bofrato, ŝia fratino estas mia bofratino; mia frato kaj fratino (gefratoj) estas la bogefratoj de mia edzino. –La edzino de mia nevo kaj la nevino de mia edzino estas miaj bonevinoj. –Virino, kiu kuracas, estas kuracistino; edzino de kuracisto estas kuracistedzino. –La doktoredzino A. vizitis hodiaŭ la gedoktorojn P. –Li ne estas lavisto, li estas lavistinedzo. –La filoj, nepoj kaj pranepoj de reĝo estas reĝidoj. –La hebreoj estas Izraelidoj, ĉar ili devenas de Izraelo. –Ĉevalido estas nematura ĉevalo, kokido–nematura koko, bovido–nematura bovo, birdido–nematura birdo.

(아버지와 어머니는 함께 부모님이라 불린다. –페트로, 안노 그리고 엘리자베토는 나의 형제자매들이다. –N씨 부부가 오늘 저녁 우리에게로 올 것이다. –나는 전보로 그 젊은 부부를 축하하였다. –그 남녀 약혼자들은 제단 옆에 서 있었다. –내 아내의 아버지는 나의 장인이고, 나는 그의 사위이며, 그리고 나의 아버지는 내 아내의 시아버지이다. –내 아내의 모든 친척은 나의 인척이다. 따라서 그녀의 오빠(남동생)는 나의 처남이고, 그녀의 언니(여동생)는 나의 처형(처제)이다. –나의 형(남동생)과 누나(여동생) (즉, 형제자매)는 내 아내의 시아주버님과 시누이이다. –내 조카의 부인 그리고 내 아내

의 질녀는 나의 bonevino들이다. −치료하는 여자는 kuracistino이며, 의사의 부인은 kuracistedzino이다. −의사 부인 A씨는 오늘 의사 P씨 부부를 방문하였다. −그는 세탁장이가 아니라 여세탁장이의 남편이다. −왕의 아들들, 손자들 그리고 증손자들은 왕의 자손들이다. −히브리인들은 이스라엘의 후손들이다. −왜냐하면 그들은 이스라엘로부터 유래하였기 때문이다. −망아지는 미성숙 말이고, 병아리는 미성숙 닭, 송아지는 미성숙 소, 그리고 새새끼는 미성숙 새이다.)

ge / (접두사) "남녀 양성"을 나타냄, 복수로 써야 함 (보기 : patro 아버지 / gepatroj 부모 / maestro 주인 / gemastroj 주인 부부)

gratuli / 축하하다   altaro / 제단
kuraci / 치료하다   doktoro / 의사, 박사
pra / (접두사) "역사적으로 오래된, 대수로 선대"를 나타냄
id / (접미사) "새끼"를 나타냄 (보기 : bovo 황소 / bovido 송아지 / Izraelo 이스라엘 / Izraelido 이스라엘의 후손)
hebreo / 히브리인   ĉevalo / 말

−접두사 〈ge-〉는 남여 양성을 동시에 나타낸다. 그러므로 늘 복수어미를 가진다.
−접두사 〈bo-〉는 혼인으로 이루어지는 관계를 나타낸다.
−접두사 〈bo-〉와 〈ge-〉가 동시에 붙을 때에는 〈bo-〉가 〈ge-〉 앞에 온다.
−접미사 〈-id-〉는 〈새끼, 자손〉을 나타낸다.
−접미사 〈-in-〉은 〈여성〉을 나타낸다.

§37.

La ŝipanoj devas obei ŝipestron. —Ĉiuj loĝantoj de regno estas regnanoj. —Urbanoj estas ordinare pli ruzaj, ol vilaĝanoj. —La regnestro de nia lando estas bona kaj saĝa reĝo. —La Parizanoj estas gajaj homoj. —Nia provincestro estas severa, sed justa. —Nia urbo havas bonajn policanojn, sed ne sufiĉe energian policestron. —Luteranoj kaj Kalvinanoj estas Kristanoj. —Germanoj kaj Francoj, kiuj loĝas en Rusujo, estas Rusujanoj, kvankam ili ne estas Rusoj. —Li estas nelerta kaj naiva provincano. —La loĝantoj de unu regno estas samregnanoj, la loĝantoj de unu urbo estas samurbanoj, la konfesantoj de unu religio estas samreligianoj. —Nia regimentestro estas por siaj soldatoj kiel bona patro. —La botisto faras botojn kaj ŝuojn. —La lignisto vendas lignon, kaj la lignaĵisto faras tablojn, seĝojn kaj aliajn lignajn objektojn. —Ŝteliston neniu lasas en sian domon. —La kuraĝa maristo dronis en la maro. —Verkisto verkas librojn, kaj skribisto simple transskribas paperojn. —Ni havas diversajn servantojn: kuiriston, ĉambristinon, infanistinon kaj veturigiston. —La riĉulo havas multe da mono. —Malsaĝulon ĉiu batas. —Timulo timas eĉ sian propran ombron. —Li estas mensogisto kaj malnoblulo. —Preĝu al la Sankta Virgulino.

(선원들은 선장에게 복종하여야 한다. —국가의 모든 거주자들은 국민들이다. —도시민들은 보통 시골사람들보다 더 교활하다. —우리나라의 국가원수는 훌륭하고 현명한 왕이다. —파리시민들은 유쾌한 사람들이다. —우리의 군수는 엄격하지만 공정하다. —우리 시의 경찰관들은 훌륭하지만 경찰서장은 그렇

게 활기차지 않다 (우리의 도시에는 훌륭한 경찰관들이 있지만 그렇게 활기찬 경찰서장은 없다). -루터주의자들과 칼빈주의자들은 기독교인들이다. -러시아에 살고 있는 독일인들과 프랑스인들은, 그들이 비록 러시아민족은 아닐지라도 러시아 국민이다. -그는 세련되지 못하고 순진한 시골사람이다. -한 나라의 거주자들은 같은 국민들이고, 한 도시의 거주자들은 같은 시민들이며, 한 종교의 신자들은 같은 종교인들이다. -우리의 연대장은 자기의 군인들에게 마치 좋은 아버지와도 같다. -제화공은 장화와 단화들을 만든다. -나뭇꾼은 목재를 팔고 목공은 책상, 의자 그리고 다른 목재품들을 만든다. -아무도 도둑을 자기 집으로 들이지 않는다. -그 용감한 어부 (선원)는 바다에 빠졌다. -작가는 책을 저술하고 기록자는 다만 종이(원고)들을 옮겨 쓸 뿐이다. -우리에게는 여러 봉사자 (하인)들이 있다: (남자)요리사, (여자)방청소부, (여자)보모 그리고 (남자)운전수. -부자는 많은 돈이 있다. -바보는 모든 사람이 때린다. -겁장이는 자기 자신의 그림자조차 두려워한다. -그는 거짓말쟁이이며 비열한 인간이다. -성모에게 기도하라.)

an / (접미사) "구성원"을 뜻함 (보기 : Nov-Jorko 뉴욕 / Nov-Jorkano 뉴요커 / regno 국가 / regnano 국민)

regno / 나라, 국가   vilaĝano / 마을
provinco / 도(행정구역), 지방   severa / 엄격한
justo / 공정함   polico / 경찰
sufiĉe / 충분히   Kristo / 그리스도
Franco / 프랑스인   konfesi / 고백하다
religio / 종교   regimento / 연대 (군대)
boto / 장화   ŝuo / 신
lasi / -하도록 내버려 두다   droni / 물에 빠지다

verki / 작품을 짓다, 만들다, 쓰다

ul / (접미사) "어떤 성질을 가진 사람"을 뜻함 (보기 : avara 인색한 / avarulo 수전노 / juna 젊은 / junulo 젊은이 / bela 아름다운 / belulo 미남)

eĉ / -조차   ombro / 그림자

preĝi / 기도하다   virga / 처녀의

-접미사 〈-an-〉은 〈구성원〉을 나타낸다.

-접미사 〈-estr-〉는 〈우두머리〉를 나타낸다.

- 〈est-〉동사 다음에 〈kiel ~〉이 오면 〈~와도 같다〉로 해석됨.

-접미사 〈-ul-〉은 〈-한 특성을 가진 사람〉을 나타낸다.

---

§38.

Mi aĉetis por la infanoj tableton kaj kelke da seĝoj. ―En nia lando sin ne trovas montoj, sed nur montetoj. ―Tuj post la hejto la forno estis varmega, post unu horo ĝi estis jam nur varma, post du horoj ĝi estis nur iom varmeta, kaj post tri horoj ĝi estis jam tute malvarma. ―En somero ni trovas malvarmeton en densaj arbaroj. ―Li sidas apud la tablo kaj dormetas. ―Mallarĝa vojeto kondukas tra tiu ĉi kampo al nia domo. ―Sur lia vizaĝo mi vidis ĝojan rideton. ―Kun bruo oni malfermis la pordegon, kaj la kaleŝo enveturis en la korton. ―Tio ĉi estis jam ne simpla pluvo, sed pluvego. ―Grandega hundo metis sur min sian antaŭan piedegon, kaj mi de teruro ne sciis, kion fari. ―Antaŭ nia militistaro staris granda serio da pafilegoj. ―Johanon, Nikolaon,

Erneston, Vilhelmon, Marion, Klaron kaj Sofion iliaj gepatroj nomas Johanĉjo (aŭ Joĉjo), Nikolĉjo (aŭ Nikoĉjo aŭ Nikĉjo aŭ Niĉjo), Erneĉjo (aŭ Erĉjo), Vilhelĉjo (aŭ Vilheĉjo aŭ Vilĉjo aŭ Viĉjo), Manjo (aŭ Marinjo), Klanjo kaj Sonjo (aŭ Sofinjo).

(나는 그 아이들을 위하여 하나의 조그만 책상과 몇 개의 의자들을 샀다. −우리나라에는 산은 없고 동산들만 있다. −불을 땐 후 곧 그 난로는 뜨거웠고, 한 시간 후 그것은 이미 더운 정도였으며, 두 시간 후에는 단지 조금 미지근하였고, 세 시간 후에는 벌써 완전히 차가웠다. −여름에 우리는 우거진 숲속에서 서늘함을 찾는다. −그는 책상 옆에 앉아서 졸고 있다. −좁은 골목길이 이 들판을 거쳐서 우리 집으로 나 있다. −그의 얼굴 위에서 나는 기쁜 미소를 보았다. −시끄럽게 그 대문이 열렸고 마차가 마당 안으로 들어왔다. −이것은 이미 보통의 비가 아니라 폭우다. −아주 큰 개가 내 위에 자신의 큰 앞발을 내려놓았으며 나는 무서워서 무엇을 해야 할지를 몰랐다. −우리의 군대 앞에 일련의 큰 대포들이 서 있다. −Johano, Nikolao, Ernesto, Vilhelmo, Mario, Klaro 그리고 Sofio를 그 부모님들은 Johanĉjo (혹은 Joĉjo), Nikolĉjo (혹은 Nikoĉjo 혹은 Nikĉjo 혹은 Niĉjo), Erneĉjo (혹은 Erĉjo), Vilhelĉjo (혹은 Vilheĉjo 혹은 Vilĉjo 혹은 Viĉjo), Manjo (혹은 Marinjo), Klanjo 그리고 Sonjo (혹은 Sofinjo)라 부른다.)

densa / 빽빽한, 농도가 짙은 brui / 시끄럽다
kaleŝo / 마차 pluvo / 비 (내리는 비)
pafi / (총, 활) 쏘다 ĉj, nj / (접미사) 남자, 여자 애칭 (이름을 줄여서 부를 때 씀)

-접미사 〈-et-〉, 〈-eg-〉는 각각 〈작고 귀엽고 약한 것〉과
〈크고 강한 것〉을 나타냄.
- 〈scii, kion fari〉, 〈scii, kiel fari〉는 각각 〈무엇을 해야
할지 알다〉, 〈어떻게 해야 할지 알다〉의 뜻이다.
-접미사 〈-ĉj-, -nj-〉는 각각 남성애칭, 여성애칭 접미사
다. 이들은 다른 접미사들과는 달리 그 앞에 있는 어간의
일부분을 갉아먹는다.

§39.

En la kota vetero mia vesto forte malpuriĝis; tial mi
prenis broson kaj purigis la veston. -Li paliĝis de
timo kaj poste li ruĝiĝis de honto. -Li fianĉiĝis kun
fraŭlino Berto; post tri monatoj estos la edziĝo, la
edziĝa soleno estos en la nova preĝejo, kaj la edziĝa
festo estos en la domo de liaj estontaj bogepatroj. -
Tiu ĉi maljunulo tute malsaĝiĝis kaj infaniĝis. -Post
infekta malsano oni ofte bruligas la vestojn de la
malsanulo. -Forigu vian fraton, ĉar li malhelpas al
ni. -Ŝi edziniĝis kun sia kuzo, kvankam ŝiaj gepatroj
volis ŝin edzinigi kun alia persono. -En la printempo
la glacio kaj la neĝo fluidiĝas. -Venigu la
kuraciston, ĉar mi estas malsana. -Li venigis al si el
Berlino multajn librojn. -Mia onklo ne mortis per
natura morto, sed li tamen ne mortigis sin mem kaj
ankaŭ estis mortigita de neniu; unu tagon,
promenante apud la reloj de fervojo, li falis sub la
radojn de veturanta vagonaro kaj mortiĝis. -Mi ne
pendigis mian ĉapon sur tiu ĉi arbeto; sed la vento

forblovis de mia kapo la ĉapon, kaj ĝi, flugante, pendiĝis sur la branĉoj de la arbeto. −Sidiĝu vin (aŭ sidiĝu), sinjoro! −La junulo aliĝis al nia militistaro kaj kuraĝe batalis kune kun ni kontraŭ niaj malamikoj.

(진흙투성이의 날씨에 내 옷은 심하게 더러워졌다. −그래서 나는 솔을 가지고 그 옷을 털었다. −그는 두려움으로 창백해 졌으며 그 다음에는 부끄러움으로 붉어졌다. −그는 베르토 아가씨와 약혼을 했다; 석 달 뒤에 결혼할 텐데, 그 결혼식 은 새로 지은 교회에서 있을 것이며 결혼잔치는 그의 미래의 장인 장모님 집에서 있을 것이다. −이 노인은 아주 멍청해져 서 어린아이가 되었다. −전염병을 앓고 난 뒤 사람들은 종종 그 환자의 옷들을 태운다. −네 남동생(형, 오빠)이 우리를 방 해하니 그를 보내버려라. −그녀의 부모님은 그녀를 다른 사 람에게 시집보내기를 바랐음에도 불구하고 그녀는 자기 사촌 과 결혼하였다. −봄에는 얼음과 눈이 녹는다. −내가 아프니 의사를 불러오너라. −그는 베를린으로부터 많은 책을 입수하 였다. −내 아저씨는 자연사로 죽지 않았으나 그렇다고 자살 하지도 않았고 또한 살해되지도 않았다. 어느날 그는 철도 레일 가를 산책하다가 달리는 기차 바퀴 아래 넘어져 죽었 다. −내가 내 모자를 이 관목 위에 걸지 않았고 바람이 내 머리로부터 그 모자를 날려보내어서 그것이 날아서 그 관목 가지 위에 걸렸다. −선생님, 앉으세요. −그 젊은이는 우리의 군대에 입대하여 우리와 함께 용감하게 우리의 적들을 대항 하여 싸웠다.)

koto / 진흙
ruĝa / 붉은
solena / 엄숙한, 장엄한

broso / 솔
honti / 부끄러워하다
infekti / 오염시키다, 전염

시키다

printempo / 봄

rado / 바퀴
있다

ĉapo / 모자 (챙이 넓지 않은 모자)

vento / 바람

kapo / 머리

relo / 철로

pendi / 걸려 있다, 달려 있다

blovi / (바람) 불다

branĉo / 나뭇가지, 가지

-접미사 〈-iĝ-, -ig-〉는 각각 자(피)동사화 접미사와 타(사) 동사화 접미사이다.

---

§40.

En la daŭro de kelke da minutoj mi aŭdis du pafojn. ‑La pafado daŭris tre longe. ‑Mi eksaltis de surprizo. ‑Mi saltas tre lerte. ‑Mi saltadis la tutan tagon de loko al koko. ‑Lia hieraŭa parolo estis tre bela, sed la tro multa parolado lacigas lin. ‑Kiam vi ekparolis, ni atendis aŭdi ion novan, sed baldaŭ ni vidis, ke ni trompiĝis. ‑Li kantas tre belan kanton. ‑La kantado estas agrabla okupo. ‑La diamanto havas belan brilon. ‑Du ekbriloj de fulmo trakuris tra la malluma ĉielo. ‑La domo, en kiu oni lernas, estas lernejo, kaj la domo, en kiu oni preĝas, estas preĝejo. ‑La kuiristo sidas en la kuirejo. ‑La kuracisto konsilis al mi iri en ŝvitbanejon. ‑Magazeno, en kiu oni vendas cigarojn, aŭ ĉambro, en kiu oni tenas cigarojn, estas cigarejo; skatoleto aŭ alia objekto, en kiu oni tenas cigarojn, estas cigarujo; tubeto, en kiun oni metas cigaron, kiam

- 119 -

oni ĝin fumas, estas cigaringo. —Skatolo, en kiu oni tenas plumojn, estas plumujo, kaj bastoneto, sur kiu oni tenas plumon por skribado, estas plumingo. —En la kandelingo sidis brulanta kandelo. —En la poŝo de mia pantalono mi portas monujon, kaj en la poŝo de mia surtuto mi portas paperujon; pli grandan paperujon mi portas sub la brako. —La Rusoj loĝas en Rusujo kaj la Germanoj en Germanujo.

(몇 분 동안에 나는 두 번의 총소리를 들었다. —그 사격은 아주 오래 계속되었다. —나는 놀라서 펄쩍 뛰었다. —나는 아주 잘 뛴다. —나는 하루 종일 이곳저곳을 뛰어다녔다. —그의 어제 연설은 아주 좋았지만, 그러나 너무 많은 연설이 그를 지치게 한다. —네가 말을 시작했을 때 우리는 무엇인가 새로운 것을 듣기를 기다렸었다. 그러나 우리는 곧 우리가 속았다는 것을 알았다. —그는 아주 아름다운 노래를 부른다. —노래 부르는 것은 아주 유쾌한 일이다. —다이아몬드는 아름다운 광채가 있다. —두 차례의 번갯불이 어두운 하늘을 지나갔다. —사람들이 배우는 집은 학교이고, 기도하는 집은 교회이다. —요리사는 부엌에 앉아 있다. —의사는 나에게 한증탕에 가라고 충고한다. —담배를 파는 상점이나 담배를 저장하는 방은 cigarejo이며 담배를 담는 작은 곽 같은 물건들은 cigarujo이고, 담배를 피울 때 담배를 담는 관은 cigaringo이다. —펜을 담는 곽은 plumujo이며 글을 쓰기 위해 펜을 꽂는 자루는 plumingo이다. —촛대 안에 불타는 초가 있었다. —내 바지 주머니에 나는 (동전) 지갑을 지니고 다니고, 외투 주머니에는 (종이돈) 지갑을 지니고 다닌다. 그리고 더 큰 가방은 팔에 끼고 다닌다. —러시아인들은 러시아 (Rusujo)에 살고 독일인들은 독일 (Germanujo)에 산다.)

surprizi / 놀라게 하다

trompi / 속이다

ŝviti / 땀흘리다

magazeno / 백화점

cigaro / 담배, 엽궐련

fumo / 연기

laca / 피곤한

fulmo / 번개

bani / 목욕 시키다

vendi / 팔다

tubo / 관

ing / (접미사) "부분을 감싸는 물건, 꽂아 쓰는 물건"을 뜻함 (보기 : kandelo 초 / kandelingo 촛대)

skatolo / 상자

surtuto / 외투

pantalono / 바지

brako / 팔

-접미사 〈-ej-〉는 〈장소〉를 나타낸다.

-접미사 〈-uj-〉는 〈나라,나무,그릇〉을 나타낸다.

-접미사 〈-ing-〉는 〈삽입물〉이나 〈피삽입물〉을 나타낸다.

-접미사 〈-ad-〉는 동명사를 만들거나 또는 〈동작의 계속 상태〉를 나타낸다.

-접두사 〈ek-〉는 〈동작의 발단〉을 나타낸다.

---

§41.

Ŝtalo estas fleksebla, sed fero ne estas fleksebla. - Vitro estas rompebla kaj travidebla. -Ne ĉiu kreskaĵo estas manĝebla. -Via parolo estas tute nekomprenebla kaj viaj leteroj estas ĉiam skribitaj tute nelegeble. -Rakontu al mi vian malfeliĉon, ĉar eble mi povos helpi al vi. -Li rakontis al mi historion tute ne kredeblan. -Ĉu vi amas vian patron? Kia demando! komprenebla, ke mi lin amas. -Mi kredeble ne povos veni al vi hodiaŭ, ĉar mi pensas, ke mi mem havos hodiaŭ gastojn. -Li estas

homo ne kredinda. −Via ago estas tre laŭdinda. −Tiu
ĉi grava tago restos por mi ĉiam memorinda. −Lia
edzino estas tre laborema kaj ŝparema, sed ŝi estas
ankaŭ tre babilema kaj kriema. −Li estas tre
ekkolerema kaj ekscitiĝas ofte ĉe la plej malgranda
bagatelo; tamen li estas tre pardonema, li ne portas
longe la koleron, kaj li tute ne estas venĝema. −Li
estas tre kredema: eĉ la plej nekredeblajn aferojn,
kiujn rakontas al li la plej nekredindaj homoj, li tuj
kredas. −Centimo, pfenigo kaj kopeko estas moneroj.
−Sablero enfalis en mian okulon. −Li estas tre
purema, kaj eĉ unu polveron vi ne trovos sur lia
vesto. −Unu fajrero estas sufiĉa, por eksplodigi
pulvon.

(강철은 휠 수 있지만 쇠는 휠 수 없다. −유리는 깰 수 있고
관통해 볼 수 있다 (투명하다). −모든 식물이 다 먹을 수 있
지는 않다. −네 말은 전혀 이해할 수 없고 네 편지들은 언제
나 전혀 읽을 수 없게 쓰여 있다. −나에게 너의 불행을 이야
기해 다오. 왜냐하면 어쩌면 내가 너를 도울 수 있을지도 모
르기 때문이다. −그는 나에게 전혀 믿지 못할 일을 이야기했
다. −너는 네 아버지를 사랑하니? 무슨 소린가! 물론 나는
그를 사랑한다. −나는 틀림없이 오늘 너에게 갈 수 없을 것
이다. 왜냐하면 나 자신이 오늘 손님을 치러야 할 것 같기
때문이다. −그는 믿을 수 없는 사람이다. −네 행동은 아주
칭찬할 만하다. −이 중요한 날은 나에게 언제나 기억할 만한
날로 남을 것이다. −그의 아내는 아주 부지런하고 검소하지
만 또한 아주 수다스럽고 시끄럽다. −그는 아주 화를 잘 내
고 아주 하찮은 일에도 자주 흥분한다. 그렇지만 그는 아주
용서를 잘한다. 그는 화를 오래 간직하지 않고 또한 절대 복

수하는 성격도 아니다. -그는 남을 아주 잘 믿는 성격이다. 가장 믿지 못할 사람들이 그에게 이야기해 주는 가장 믿지 못할 일들조차 그는 곧 믿는다. -Centimo와 pfenigo 그리고 kopeko는 동전들이다. -모래알들이 내 눈 안으로 떨어졌다. -그는 아주 깨끗한 성격이어서 너는 그의 옷에서 먼지 하나도 발견할 수 없을 것이다. -화약을 폭발시키기 위해서는 불씨 하나가 충분하다.)

ŝtalo / 강철	fleksi / 구부리다
vitro / 유리	rompi / 부수다, 깨다
laŭdi / 칭찬하다	memori / 기억하다
ŝpari / 아끼다, 저축하다	bagatelo / 하찮은 것
venĝi / 복수하다	eksciti / 자극하다

er / (접미사) "구성 요소"를 뜻함 (보기 : sablo 모래 / sablero 모래알)

polvo / 먼지	fajro / 불
eksplodi / 폭발하다	pulvo / 폭약

> -접미사 〈-ebl-〉은 〈피동의 가능성〉을 나타낸다.
> -접미사 〈-ind-〉는 〈피동의 가치〉를 나타낸다.
> -접미사 〈-end-〉는 〈피동의 당위〉를 나타낸다.
> -접미사 〈-em-〉은 〈경향〉을 나타낸다.
> -접미사 〈-er-〉는 〈구성소〉를 나타낸다.

§42.

Ni ĉiuj kunvenis, por priparoli tre gravan aferon; sed ni ne povis atingi ian rezultaton, kaj ni disiris. - Malfeliĉo ofte kunigas la homojn, kaj feliĉo ofte disigas ilin. -Mi disŝiris la leteron kaj disĵetis ĝiajn pecetojn en ĉiujn angulojn de la ĉambro. ‑Li donis al mi monon, sed mi ĝin tuj redonis al li. ‑Mi foriras, sed atendu min, ĉar mi baldaŭ revenos. ‑La suno rebrilas en la klara akvo de la rivero. ‑Mi diris al la reĝo: via reĝa moŝto, pardonu min! ‑El la tri leteroj unu estis adresita: al Lia Episkopa Moŝto, Sinjoro N.; la dua: al Lia Grafa Moŝto, Sinjoro P.; la tria: al Lia Moŝto, Sinjoro D. ‑La sufikso 〈um〉 ne havas difinitan signifon, kaj tial la (tre malmultajn) vortojn kun 〈um〉 oni devas lerni, kiel simplajn vortojn. ‑Ekzemple: plenumi, kolumo, manumo. ‑Mi volonte plenumis lian deziron. ‑En malbona vetero oni povas facile malvarmumi. ‑Sano, sana, sane, sani, sanu, saniga, saneco, sanilo, sanigi, saniĝi, sanejo, sanisto, sanulo, malsano, malsana, malsane, malsani, malsanulo, malsaniga, malsaniĝi, malsaneta, malsanema, malsanulejo, malsanulisto, malsanero, malsaneraro, sanigebla, sanigisto, sanigilo, resanigi, resaniĝanto, sanigilejo, sanigejo, malsanemulo, sanilaro, malsanaro, malsanulido, nesana, malsanado, sanulaĵo, malsaneco, malsanemeco, saniginda, sanilujo, sanigilujo, remalsano, remalsaniĝo, malsanulino, sanigista, sanigilista, sanulista, malsanulista k.t.p.

(우리 모두는 아주 중요한 일을 논하기 위해 모였지만 우리는 어떤 결론에 도달하지는 못하고 헤어졌다. ‑불행은 종종 사람들을 뭉쳐놓고 행복은 종종 그들을 흩어버린다. ‑나는 그 편지를 찢어서 방 안 온 사방으로 그 조각들을 던져버렸다. ‑그는 나에게 돈을 주었지만 나는 그것을 그에게 곧 돌

려주었다. -나는 떠나지만 그러나 곧 돌아올테니 나를 기다
려라. -태양은 그 강의 맑은 물 안에서 되비치고 있다. -나
는 왕에게 말했다: 왕이시여 저를 용서해주소서! -그 세 통
의 편지 중에서 하나는 "교구장 각하 N씨께"라 적혀 있고,
둘째 것은 "백작 각하 P씨께"라 적혀 있으며, 셋째 것은 "D
씨 귀하"라 적혀 있었다. - ⟨um⟩이라는 접미사는 한정된 의
미를 지니고 있지 않다. 그래서 우리는 ⟨um⟩을 가진 (아주
적은 수의) 낱말들을 (파생어가 아닌) 단순어처럼 배워야 한
다. -보기를 들면: 수행하다, 깃, 소매. -나는 그의 소원을
기꺼이 들어주었다. -나쁜 날씨에 우리는 쉽게 감기 든다. -
건강, 건강한, 건강하게, 건강하다, 건강하여라, 건강하게 하
는, 건강상태, 약, 건강하게 하다, 건강해지다, 건강원, 건강
사, 건강한 사람, 병, 아픈, 병들어, 아프다, 환자, 병을 일으
키는, 병들다, 조금 아픈, 자주 아픈, 환자 요양원, 요양사,
병원균, 병원균군, 건강하게 할 수 있는, 의사, 약, 회복시키
다, 회복되는 환자, 약국, 건강실, 병을 잘 앓는 사람, 약,
병, 환자 자손, 건강하지 않은, 병을 앓음, 건강한 사람의
것, 병든 상태, 병을 잘 앓는 상태, 건강하게 할만한, 치료약
상자, 치료기상자, 다시 든 병, 다시 병남, 여자 환자, 의사
의, 약사의 (치료기구사의), 건강사의, 요양사의 등등.)

atingi / 도달하다   rezultato / 결과(물)
ŝiri / 찢다   peco / 조각
moŝto / 높은 지위의 사람을 부를 때 쓰는 호칭 ("폐하")
episkopo / 주교 (교회)   grafo / 백작
difini / 한정하다, 규정 짓다

-접두사 ⟨re-⟩는 ⟨반복, 회귀⟩를 나타낸다.
-접두사 ⟨dis-⟩는 ⟨분산⟩을 나타낸다.

UNIVERSALA VORTARO
DE LA LINGVO ESPERANTO

기본 단어장
국제어 에스페란토

Ĉion, kio estas skribita en la lingvo internacia Esperanto, oni povas kompreni kun helpo de tiu ĉi vortaro. Vortoj, kiuj formas kune unu ideon, estas skribataj kune, sed dividataj unu de la alia per streketo, tiel ekzemple la vorto «frat'in'o», prezentante unu ideon, estas kunmetita el tri vortoj, el kiuj ĉiun oni devas serĉi aparte.

국제어 에스페란토로 쓰인 모든 것은 이 사전의 도움으로 이해할 수 있습니다. 여러 개의 낱말5)이 함께 하나의 개념을 나타낼 때에는 그 개념의 낱말은 하나로 묶여 쓰이지만, 각각의 낱말은 연결부호(')로 분리됩니다. 예를 들어, 〈frat'in'o〉라는 낱말은 하나의 개념을 나타내지만 세 개의 낱말이 합쳐진 것입니다. 그리고 이 세 개의 낱말은 각각 개별적으로 찾아야 합니다.

A

a	[어미] 형용사 어미
abat'	수도원장
abel'	(곤충) 벌

---

5) 여기 쓰인 "낱말"(vorto)이라는 말은 "형태소"(morfemo)의 의미로 쓰인 것임. (번역자 주)

abi'	전나무
ablativ'	[문법] 탈격
abomen'	증오하다, 몹씨 싫어하다
abon'	구독하다
abrikot'	살구
absces'	종기, 농양
absint'	쓴쑥
acer'	단풍나무
aĉet'	사다 sub'aĉet' 뇌물로 사람을 사다
acid'	신, 시큼한
ad'	[접미사] 동작의 계속을 나타내며 동명사를 만듦 (보기: danc' 춤을 추다 /danc'ad' 춤을 춤, 춤)
adiaŭ	[감탄사] 안녕 (헤어질 때 하는 인사)
adjektiv'	[문법] 형용사
administr'	행정을 맡아 하다, 행정처리를 하다
admir'	찬양하다, 찬탄하다
admon'	충고하다, 조언하다
ador'	숭배하다
adult'	간음하다
adverb'	[문법] 부사
aer'	공기 aer'um' 공기를 불어 넣다
afabl'	친절한 mal'afabl' 불친절한
afekt'	-인 척하다
afer'	일, 사물
ag'	행동하다
aĝ'	나이
agac'	자극하다, 화나게 하다
agl'	독수리

agord'	조율하다
agrabl'	유쾌한
aĵ'	[접미사] 구체적인 물건, (동물) 고기 (보기: mal'nov'aĵ' 골동품, pork'aĵ' 돼지고기)
ajl'	마늘
ajn	[부사] -든지 (보기: kiu 누구 / kiu ajn 누구든지)
akar'	진드기
akcel'	가속하다
akcent'	악센트
akcept'	받아들이다
akcipitr'	매 (날짐승)
akir'	획득하다
akn'	뾰루지
akompan'	동행하다
akr'	날카로운
akrid'	메뚜기
aks'	차축
akuŝ'	분만하다 akuŝ'ist'in' 산파
akuzativ'	[문법] 목적격
akv'	물
al	[전치사] -에게, -으로
alaŭd'	종달새
alcion'	물총새
ali'	다른
alk'	엘크 (사슴 종류 중 가장 큰 사슴)
almenaŭ	[부사] 적어도
almoz'	구걸하다
aln'	양딱총나무

alt'	높은
altar'	제단
alte'	무궁화
altern'	번갈아 하다
alud'	암시하다
alumet'	성냥
alun'	명반, 황산 알루미늄
am'	사랑하다
amas'	무리, 군중
ambaŭ	둘 다
ambos'	모루
amel'	녹말
amfibi'	양서류
amik'	친구
am'ind'um'	애교를 부리다
amoniak'	무수 암모니아
ampleks'	방대한
amuz'	즐기다
an'	[접미사] 구성원 (보기: regn' 나라 / regn'an' 국민)
ananas'	파인애플
anas'	오리 mol'anas' 물오리
anĝel'	천사
angil'	뱀장어
angul'	구석, 코너
anim'	영혼 (정신, 마음)
aniz'	아니스 (열매)
ankaŭ	[부사] 역시
ankoraŭ	[부사] 아직, 계속 더

ankr'	닻
anonc'	통보하다
anser'	거위
anstataŭ	[전치사] - 대신 anstataŭ'i -를 대신하다
ant'	[접미사] 능동 진행 분사
antaŭ	[전치사] - 앞에
antaŭtuk'	앞치마
antikv'	고대의, 오래된
antimon'	안티몬
Anunciaci'	(가톨릭) 성수태고지일 축제
aparat'	기계, 기구
aparten'	속하다, 소속되다
apenaŭ	[부사] 겨우
aper'	나타나다 mal'aper' 사라지다
aplaŭd'	박수 치다, 칭찬하다
apog'	기대다
apr'	멧돼지
April'	4월
aprob'	찬동하다
apud	[전치사] - 곁에
ar'	[접미사] 집단 (보기: vort' 낱말 / vort'ar' 단어장)
arane'	거미
aranĝ'	배치하다, 정리하다
arb'	나무 arb'et'aĵ' 관목
arbitr'	마음대로 하는
arĉ'	활 (바이올린용)
arde'	왜가리
ardez'	점판암

aren'	경기장, -판
arest'	체포하다
arĝent'	은
argil'	찰흙, 점토
argument'	논쟁하다, 항변하다
arĥitektur'	건축술
ark'	활 ark'aĵ' 아치
arleken'	어릿광대
arm'	무기
arogant'	거만한
arsenik'	비소
art'	예술
artifik'	기교를 부리다
artik'	관절
artikol'	관사, 한 편의 글
artiŝok'	(식물) 아티초크 (국화과)
artrit'	관절염
as'	[어미] 동사 현재 어미
asekur'	보험
asign'	할당하다, 부여하다
asparag'	(식물) 아스파라거스
aspid'	독사
at'	[접미사] 피동 진행 분사
atak'	공격하다
atenc'	위협하다
atend'	기다리다
atent'	주의하다
atest'	증명하다, 증언하다
ating'	도달하다

atripl'   수국의 일종(?)
atut'   (카드 놀이) 승리의 색깔
aŭ   [접속사] 혹은
aŭd'   듣다
Aŭgust'   8월
aŭskult'   귀기울여 듣다
aŭtun'   가을
av'   할아버지
avar'   인색한
avel'   개암, 헤즐넛
aven'   귀리
aventur'   모험
avert'   경고하다
avid'   탐내다
aviz'   전단, 포스터
azen'   당나귀
azot'   질산

B

babil'   한담하다, 재잘거리다
bagatel'   사소한 일
bajonet'   총에 꽂는 단검
bak'   빵굽다
bala'   쓸다 (비로), 청소하다
balanc'   흔들리다, 진동하다
balbut'   말을 더듬다, 우물쭈물하다
baldaken'   차양 (마차, 의자 등의 위에 치는)
baldaŭ   [부사] 이윽고, 머지않아, 곧
balen'   고래   balen'ost' 고래 뼈

balustrad'	난간
bambu'	대나무
ban'	목욕시키다
band'	무리
bant'	장식용 매듭
bapt'	세례(침례)를 베풀다, 명명하다
bar'	막다, 차단하다
barakt'	몸부림치다
barb'	턱수염
barbir'	이발사
barĉ'	국, 수프 (빨간 홍당무로 만든 러시아 수프)
barel'	통 (술을 담는)
bark'	작은 배 (운반용)
bask'	옷의 몸통 부분
bast'	나무껍질의 가장 안쪽 부분
bastion'	요새
baston'	지팡이, 막대기
bat'	때리다
batal'	싸우다 batal'il' 무기
bazar'	시장
bed'	화단
bedaŭr'	유감스럽게 생각하다
bek'	(새가) 부리로 쪼다
bel'	아름다운
beladon'	벨라도나 (가짓과의 유독 식물)
ben'	축복하다, 복주다
benk'	긴 의자, 벤치
ber'	포도알처럼 생긴 작은 열매
best'	짐승

bet'	(식물) 비트, 홍당무
betul'	자작나무
bezon'	-을 필요로 하다
bien'	농장
bier'	맥주
bind'	(책을) 묶다
bird'	새
biskvit'	비스켓, 구운 과자
bismut'	비스무트, 창연 (금속 원소, 기호 Bi)
blank'	흰
blat'	바퀴벌레
blek'	(짐승이) 포효하다
blind'	눈이 먼
blond'	갈색의 (머리카락)
blov'	불다
blu'	푸른
bo'	[접두사] 혼인으로 생긴 관계 (보기:
patr'in'	어머니 / bo'patr'in' 장모)
boa'	보아 뱀
boat'	작은 배
boben'	실패 (실을 감아 두는 도구)
boj'	(개가) 짖다
bol'	끓다
bombon'	사탕
bon'	좋은, 훌륭한, 착한
bor'	구멍 뚫다
boraks'	붕사
bord'	해안, 강변, 변
border'	옷의 가장자리를 천을 덧대어 꾸미다

bors'	(증권) 거래소
bot'	장화
botel'	병
bov'	황소
brak'	팔
bram'	밑에서 세 번째 돛
bran'	밀기울, 왕겨
branĉ'	가지
brand'	(술) 브랜디
brank'	아가미
brasik'	배추
brav'	용감한
bret'	선반
brid'	굴레, 고삐
brik'	벽돌
bril'	빛나다
briliant'	다듬은 다이아몬드
brod'	수를 놓다
brog'	데치다
bronz'	청동
bros'	솔
brov'	눈썹
bru'	소란피우다, 떠들다
brul'	(불) 타다 brul'um' 염증
brun'	다갈색의
brust'	가슴
brut'	가축
bub'	개구쟁이
bubal'	물소

buĉ'	도축하다
bud'	노점, 부스
buf'	두꺼비
bufed'	뷔페 식당
buk'	혁대 장식, 버클
buked'	꽃다발
bukl'	곱슬머리
bul'	덩어리
bulb'	덩어리 모양의 뿌리 (구근), 둥근 모양의 물건
buljon'	국물
bulk'	둥근 모양의 빵
burd'	뒝벌
burĝ'	도시민
burĝon'	새싹
buŝ'	입　buŝ'um' 재갈
buŝel'	부셸 (약 36리터)
buter'	버터
butik'	가게
buton'	단추　buton'um' 단추를 채우다

C, Ĉ

ĉagren'	슬프게 하다, 괴롭게 하다
ĉam'	샤무아 (남유럽의 영양류)
ĉambelan'	시종 (집 안에서 일하는 사람)
ĉambr'	방
ĉan'	방아쇠
ĉap'	모자 (넓은 챙이 없는 모자)
ĉapel'	모자 (넓은 챙이 있는 모자)

ĉar	[접속사] 왜냐하면 – 때문에
ĉarlatan'	돌팔이 의사
ĉarm'	매력 있는
ĉarnir'	경첩, 돌쩌귀
ĉarpent'	목수일을 하다　ĉarpent'ist' 목수
ĉarpi'	보푸라기 천
ĉas'	사냥하다　ĉas'aĵ' 사냥해서 잡은 짐승
ĉast'	정숙한
ĉe	[전치사] –에, – 곁에
ced'	양보하다
cedr'	히말라야 삼목
ĉef'	우두머리, 가장 주요한
cejan'	수레국화
cel'	겨누다, 목표로 삼다
ĉel'	독방, 감방, 세포
cement'	시멘트
ĉemiz'	셔츠, 속옷
ĉen'	사슬
cent'	[수사] 백 (100)
cerb'	(신체) 뇌
ĉeriz'	버찌
ĉerk'	관 (시체를 넣는)
ĉerp'	물을 긷다
cert'	확실한, 어떤　cert'ig' 확실히 하다
cerv'	사슴　nord'a cerv' 북극 사슴
ĉes'	멈추다
ceter'	다른, 딴, 남은
ĉeval'	(가축) 말
ci	[인칭대명사] 이인칭 애칭 (너)　ci'a 너의

ĉi	[부사] 근접을 나타내는 부사
ĉia	[목록어] 모든 (성격의, 형용의)
ĉiam	[목록어] 늘
ĉie	[목록어] 모든 곳에
ĉiel	[목록어] 모든 방법으로
ĉiel'	하늘
ĉif'	구기다
cifer'	숫자 cifer'plat' 숫자판
ĉifon'	넝마, 해어진 천
cigar'	담배 (엽궐연)
cigared'	궐연
cign'	백조
ĉikan'	욕하다, 애매한 말로 험담을 하다
cikatr'	상처
cikoni'	황새
cim'	빈대
cimbal'	(악기) 심벌즈
cinabr'	진사(辰砂); 적색 황화(黃化) 수은
cinam'	계피
cindr'	재
ĉio	[목록어] 모든 것
cipres'	삼나무
cir'	구두약, 광약
ĉirkaŭ	[전치사; 부사] -쯤, - 주위에; 대략
ĉirkaŭ'aĵ'	주위 ĉirkaŭ'i 둘러싸다 ĉirkaŭ'o 주변 ĉirkaŭ'man' 팔찌 ĉirkaŭ'pren' 감싸다 ĉirkaŭ'skrib' 동그라미를 치다
cirkel'	컴퍼스
cirkonstanc'	상황, 환경

cirkuler'	돌려 읽도록 만든 안내장
cit'	인용하다
citr'	치터 (악기; 현이 30~40개가 있는, 기타 비슷한 악기)
citron'	레몬
ĉiu	[목록어] 모든 (하나하나 모두의), 모든 사람 각각 ĉiu'j 모든 사람(것) 전부
civiliz'	문명
ĉiz'	끌로 다듬다
ĉj'	[접미사] 남성 애칭 (보기: Johan' 요한 / Jo'ĉj' 요한의 애칭)
ĉokolad'	초콜릿
col'	인치
ĉu	[부사] 의문의 부사

D

da	[전치사] 수량을 나타냄
daktil'	대추야자
dam'o'j	(놀이) 체스의 일종
damask'	수놓은 비단 천
danc'	춤을 추다
dand'	멋쟁이
danĝer'	위험한
dank'	감사하다
dat'	날짜
dativ'	[문법] 여격 (-에게)
datur'	산사나무 열매, 흰독말풀
daŭr'	계속되다, 지속되다 daŭr'ig' 지속시키다
de	[전치사] -의, -로부터

dec'	적당한, 마땅한
Decembr'	12월
decid'	결정하다
deĉifr'	(암호문을) 해독하다
dediĉ'	헌납하다, 봉헌하다, 헌신하다
defend'	지키다, 방어하다
degel'	녹다
degener'	퇴화하다, 타락하다
degrad'	(계급) 강등시키다
deĵor'	당직을 서다, 일을 맡아 하다
dek	[수사] 열 (10)
deklinaci'	굴절, 어형변화
dekliv'	비탈
dekstr'	오른쪽의 mal'dekstra' 왼쪽의
delfen'	돌고래
delikat'	정교한
delir'	잠꼬대하다, 헛소리하다
demand'	묻다, 질문하다
demon'	귀신
denar'	옛 로마의 은화
dens'	치밀한, 빽빽한
dent'	이(齒)
denunc'	고발하다
deput'	(일, 권한) 위임하다, 대표로 파견하다
des	더욱 −하다 (ju ~ des ~)
desegn'	도안하다
detal'	자세한
detru'	파괴하다
dev'	−해야 하다 dev'ig' −하도록 만들다

deviz'	표어, 좌우명, 슬로건
dezert'	사막, 황야
dezir'	원하다
Di'	하나님
diabl'	악마
diamant'	다이아몬드
diboĉ'	타락한 생활을 하다, 주색에 빠지다
didelf'	주머니쥐
difekt'	손해를 입히다
diferenc'	차이
difin'	한정하다, 규정하다
dig'	댐
digest'	소화하다
dik'	두꺼운, 뚱뚱한
diligent'	부지런한
dimanĉ'	일요일
dir'	말하다
direkt'	어느 방향으로 향하게 하다 direkt'o 방
향	direkt'il' 핸들
dis'	[접두사] 분산 (보기: iri' 가다 /dis'ir' 흩어
	져 가다) dis'ig' 분산시키다
diskont'	할인하여 팔다
dispon'	마음대로 처리하다
disput'	논쟁하다
distil'	증류하다
disting'	분별하다
distr'	주의를 분산시키다, 흩뜨리다
distrikt'	구역
diven'	추측하다

divers'	여러 가지의
divid'	나누다, 공유하다
do	[접속사] 그러면
dolĉ'	달콤한
dolor'	고통
dom'	집
domaĝ'	애석한 일, 동정
domen'	모자가 달린 길고 큰 외투 (주로 가면무도회 때 사용)
don'	주다 al'don' 추가하다, 첨가하다
donac'	선물하다
dorlot'	너무 총애하다, 응석받이로 키우다
dorm'	(잠)자다
dorn'	가시
dors'	등
dot'	지참금으로 주다 dot'o 지참금
drak'	용
drap'	모직 천
drapir'	주름을 잡아 예쁘게 덮다 (장식하다, 걸치다)
draŝ'	타작하다
dres'	(동물을) 조련하다
drink'	술마시다
drog'	약물 (주로 독극물, 향정신성 약물, 마약)
dron'	물에 빠지다
du	[수사] 둘 (2)
dub'	의심하다
duk'	공작 (귀족)
dum	[전치사] -동안 dum'e 그동안, 한동안

dung'   고용하다
du'on'patr'   의붓아버지

E

e   [어미] 부사 어미
eben'   평평한
ebl'   [접미사] 수동의 가능성을 나타냄 (보기: kompren' 이해하다 /kompren'ebl'이해할 수 있는, 이해가 되는)
ebon'   흑단 (나무)
ec'   [접미사] 추상명사화 접미사 (보기: bon' 좋은, 착한 / bon'ec' 선)
ec'a   물질의 어떤 질과 관련된
eĉ   [부사] 조차
edif'   교화하다, 좋은 영향을 끼치다
eduk'   교육하다
edz'   남편
efektiv'   실제의
efik'   효과
eg'   [접미사] 크고, 강하고, 정도가 심함을 나타냄 (보기: pord' 문 / pord'eg' 대문)
egal'   동등한
eĥ'   메아리
ej'   [접미사] 장소 (보기: preĝ' 기도하다 / preĝ'ej' 교회, 기도소)
ek'   [접두사] 시작 (보기: kant' 노래하다 / ek'kant' 노래하기 시작하다)
eks'   [접두사] 신분의 이전 상태
ekscelenc'   고관대작

ekscit'	흥분시키다, 자극하다
ekskurs'	소풍
eksped'	파송하다
eksplod'	폭발하다
ekspozici'	전시
ekster	[전치사] -의 밖에
eksterm'	멸절시키다, 박멸하다
ekstr'	여분의
ekstrem'	극단의
ekzamen'	시험치다, 시험하다
ekzekut'	사형하다
ekzempl'	보기, 예
ekzempler'	(책 등의) 한 권, 하나
ekzerc'	연습시키다, 훈련시키다
ekzil'	추방하다
ekzist'	존재하다
el	[전치사] -로부터 (안에서 밖으로)
elast'	탄력이 있는
elefant'	코끼리
elekt'	선택하다
elokvent'	능변의, 말을 잘하는
em'	[접미사] 어떤 경향이 있음 (보기: babil' 잡담하다 / babil'em' 수다스러운)
emajl'	법랑, 에나멜
embaras'	당황하게 만들다
embri'	태아, 배(胚), 눈, 싹
embusk'	위장, 은폐
eminent'	저명한
en	[전치사] - 안에

enigm'	수수께끼
entrepren'	착수하다, 기업
entuziasm'	열정
enu'	지루해 하다, 지겨워하다
envi'	부러워하다, 시기하다
episkop'	주교, 감독　ĉef'episkop' 대주교
epok'	시대
epolet'	견장, 계급장
er'	[접미사] 구성소 (보기: sabl' 모래 / sabl'er' 모래알)
erar'	실수하다
erinac'	고슴도치
ermen'	담비, 산족제비
ermit'	은둔자
erp'	써레질하다, 밭을 갈다
escept'	제외하다
esenc'	본질
eskadr'	(군대) 함대
esper'	희망하다　mal'esper' 절망하다, 포기하다
esplor'	연구하다
esprim'	표현하다
est'	-이다, 있다
estim'	존경하다
esting'	(불, 전등) 끄다
estr'	[접미사] 우두머리 (보기: ŝip' 배 /
ŝip'estr'	선장)
eŝafod'	교수대, 처형대
et'	[접미사] 작고, 귀엽고, 약함을 나타냄
etaĝ'	(건물의) 층

etat'	공식 보고서
etend'	펼치다, 주다
eter'	정기, 영기, 공기, 에테르
etern'	영원한
evit'	피하다
ezok'	(물고기) 창꼬치

F

fab'	콩
fabel'	동화
fabl'	우화
fabrik'	공장
facet'	작은 면 (보석 등의)
facil	쉬운
faden	실 metal'faden' 철사
fag'	너도밤나무
fajenc'	도자기 만드는 찰흙
fajf'	휘파람불다, 호각불다
fajl'	줄로 갈다, 다듬다
fajr'	불
fak'	분과, 전공
faktur'	영수증
fal'	떨어지다, 넘어지다 fal'et' 비틀거리다, 휘청거리다
falbal'	(천) 주름장식
falĉ'	낫으로 베다 falĉ'il' 낫
fald'	접다
falk'	송골매
fals'	거짓의

fam'	유명한
famili'	가족
fand'	녹이다
fanfaron'	허풍 떨다
fantom'	귀신
far'	하다, 만들다
faring'	인두 (목)
farm'	땅을 빌려 소작농을 하다
fart'	건강이 -하다, 살다, 생활하다　fart'o 건 강상태
farun'	곡식 가루
fask'	묶음, 단
fason'	(옷) 재단
fast'	금식하다
faŭk'	짐승의 입
fav'	황선, 기계총
favor'	호의의, 선의의
fazan'	꿩
fe'in'	여자 요정
febr'	(병) 열
Februar'	2월
feĉ'	찌꺼기
fel'	털이 달린 가죽
feliĉ'	행복한
felt'	모전(毛氈), 털이 달린 가죽으로 된 천
femur'	허벅지
fend'	쪼개다, 가르다
fenestr'	창
fenkol'	회향풀

fer'	쇠　fer'voj' 철로
ferdek'	갑판
ferm'	닫다　mal'ferm' 열다
ferment'	발효하다
fervor'	열정
fest'	잔치로써 영예롭게 하다
festen'	잔치
fianĉ'	약혼자
fibr'	섬유, 실
fid'	믿다 (사람을)
fidel'	충실한
fier'	뽐내는, 우쭐대는
fig'	무화과
figur'	모습
fil'	아들
filik'	양치류
filtr'	여과하다
fin'	끝내다
fingr'	손가락
firm'	견고한　firm'o 회사
fiŝ'	물고기　fiŝ'ole' 생선유
fistul'	종기, 농양
flag'	깃발
flam'	불길, 불꽃, 화염, 격정
flan'	얇고 둥글게 구운 빵
flanel'	면 (천)
flank'	옆구리, 측면
flar'	냄새맡다
flat'	아첨하다

flav'	노란
fleg'	간호하다
flegm'	냉담, 냉정
fleks'	휘다, 구부리다
flik'	천을 덧대고 깁다
flirt'	흩날리다
flok'	박편, 얇은 조각
flor'	꽃 피우다 flor'o 꽃
flos'	뗏목
flu'	흐르다 de'flu'il' 빗물을 흘러 내리는 관
flug'	날다 flug'il' 날개
fluid'	액체의
flut'	(악기) 플루트
foir'	정기적으로 열리는 시장
foj'	(몇) 번
fojn'	건초
fok'	물개, 바다표범
fokus'	초점
foli'	잎사귀, (종이) 한 장
fond'	기초를 세우다, 설립하다
font'	샘
fontan'	분수
for	[부사] 멀리
forĝ	(쇠를) 벼리다, 이루어내다
forges'	잊다
fork'	포크, 쇠스랑
form'	형태, 모양
formik'	개미
forn'	화로

for'permes' 휴가
fort' 강한
fortepian' 그랜드 피아노
fortik' 요새의, 난공불락의   fortik'aĵ 요새
fos' (땅) 파다   fos'il' 삽
fosfor' (화학) 인
fost' 높이 세워진 장대
frag' 딸기
fragment' 조각
fraj' 물고기 새끼, 치어
frak' 연미복
frakas' 깨다
fraksen' 양물푸레나무
framason' 프리메이슨 (비밀 결사단체)
framb' 나무딸기
frand' 군것질하다, 맛있는 것을 먹다
franĝ' (옷) 술 장식
frangol' 갈매나무
frap' 두드리다
frat' 형제
fraŭl' 총각 fraŭl'in' 처녀, 아가씨, 호칭으로도 씀
fremd' 낯선, 외국의
frenez' 미친
freŝ' 신선한
fring' 되새, 피리새 같은 작은 새
fringel' 검은방울새
fripon' 악한, 깡패
friz' 머리손질하다, 고데하다
fromaĝ' 치즈

front'	앞면, 최전선
frost'	서리
frot'	문지르다
fru'	이른
frugileg'	띠까마귀, 사기꾼
frukt'	과일, 열매
frunt'	이마
ftiz'	폐결핵
fulg'	그을음, 검댕
fulm'	번개
fum'	연기　　fum'i 담배피우다, 연기를 내뿜다
fund'	밑바닥
fundament'	기초
funebr'	장례　　funebr'a 장례의
funel'	깔때기
fung'	버섯
funt'	(단위) 파운드
furaĝ'	꼴, 마초
furioz'	미친듯한
furunk'	부스럼
fuŝ'	망치다
fusten'	코르덴, 벨벳 종류의 천
fut'	(단위) 피트 (12인치)

G, Ĝ

gad'	(물고기) 대구
gaj'	즐거운
gajl'	기생충에 의한 식물의 혹
gajn'	얻다

gal'	담즙
galanteri'	화장 용품이나 장신구 용품
galeri'	화랑
galon'	장식용으로 가장자리에 덧댄 띠
galoŝ'	장화 같은 고무 덧신
gant'	장갑
garanti'	보장하다 garanti'aj' 보장하기 위해 맡기는 물건 garanti'ul'보장하기 위해 맡기는 사람
garb'	묶음, 단, 다발
gard'	지키다
ĝarden'	정원
gargar'	물로 입(잔, 접시, 옷 등)을 깨끗이 헹구다
gas'	가스
gast'	손님
gazel'	가젤 (아프리카 영양)
gazet'	잡지
ge'	[접두사] 남·여 양성을 동시에 나타냄 (보기: patr' 아버지 / ge'patr'o'j 부모)
gelaten'	젤라틴
ĝem'	신음하다, 한숨을 쉬다
ĝen'	귀찮게 하다, 방해하다
generaci'	세대
genitiv'	[문법] 소유격
genot'	사향고양이
gent'	종족
ĝentil'	점잖은
genu'	무릎
ĝerm'	싹
gest'	몸짓

ĝi	[인칭대명사] 삼인칭 비인칭 (그것)
ĝib'	(낙타의) 혹
gips'	깁스, 석고
ĝiraf'	기린
ĝis	[전치사] –까지
gitar'	기타
glaci'	얼음 glaci'aĵ' 얼음과자
glad'	다리미로 다리다
glan'	도토리
gland'	(신체) 선(腺)
glas'	유리 잔
glat'	미끄러운, 매끈한, 평탄한
glav'	(긴) 칼
glim'	운모, 돌비늘
glit'	미끄러지다, 미끄럼타다 glit'il'썰매
	glit'vetur'il' 설상(수상)용 자동차, 썰매
glob'	구형의 물체
glor'	찬미하다, 영광을 돌리다
glu'	풀로 무엇을 붙이다
glut'	삼키다
gobi'	(물고기) 모샘치
ĝoj'	기뻐하다
golf'	골프, 바다의 만(灣)
gorĝ'	목구멍
graci'	우아한
grad'	등급
graf'	백작, 그래프
grajn'	곡식 알갱이
gramatik'	문법

granat'   석류
grand'   큰, 위대한   grand'anim' 관대한
granit'   화강암
gras'   지방, 비게, 살진
grat'   긁다, 할퀴다
gratul'   축하하다
grav'   중요한
graved'   임신한
gravur'   조각하다
gren'   곡식   gren'ej' 곳간
grenad'   수류탄
gri'   현미
grifel'   석필 연필
gril'   귀뚜라미
grimac'   찌푸린 인상
grinc'   이를 가는 듯한 소리를 내다
griz   회색의
gros'   구즈베리
groŝ'   아주 작은 가치의 동전
grot'   동굴, 석굴
gru'   학, 두루미
grup'   그룹, 단체
ĝu'   즐기다
gudr'   타르, 콜타르, 피치, 댓진
guf'   부엉이
gum'   고무
gurd'   (현악기) 손잡이를 돌리는 오르간의 일종
gust'   맛, 미각   gust'um' 맛보다
ĝust'   옳은, 바른

gut'	(물방울이) 떨어지다　gut'o 방울
guvern'	가정교사로 아이를 지도하다
gvardi'	친위대, 경비대
gvid'	지도하다, 인도하다

H, Ĥ

ha!	[감탄사] 놀람, 감탄
hajl'	진눈깨비, 우박
hak'	도끼로 패다　hak'il' 도끼
hal'	큰 방, 홀
haladz'	악취, 유독가스
halt'	멈추다
hamstr'	햄스터
ĥaos'	혼돈
har'	털, 머리카락　har'ar' 머리카락 전부, 가발 har'eg' 굵은 털　har'lig' 머리를 땋은 것
hard'	단련하다
haring'	청어
harp'	(악기) 하프
haŭt'	살가죽, 피부
hav'	가지고 있다
haven'	항구
heder'	담쟁이덩굴
hejm'	가정, 집
hejt'	불때다
hel'	밝은
help'	도우다　mal'help' 방해하다
ĥemi'	화학
hepat'	(신체) 간

herb'	풀 herb'ej' 들판, 풀밭
hered'	물려받다, 상속하다
herez'	이단
herni'	탈장
hero'	영웅
hidrarg'	수은
hidrogen'	수소
hieraŭ	[부사] 어제
ĥimer'	키메라, 괴물, 도깨비
hipokrit'	위선적으로 행동하다
hirud'	거머리
hirund'	제비
hiskiam'	사리풀 (독성이 있음)
histori'	역사, 이야기
histrik'	(동물) 호저(豪豬)
ho!	[감탄사]가장 일반적인 감탄사, 강한 감정 표시
hodiaŭ	[부사] 오늘
hok'	호크, 갈고리 fiŝ'hok' 낚시 pord'hok' 돌쩌귀
ĥoler'	콜레라
hom'	사람, 인간
honest'	정직한
honor'	영광을 돌리다 honor'o 명예, 영광
hont'	부끄러워하다
hor'	시간, (몇) 시
ĥor'	합창단
horde'	보리
horizontal'	수평의

horloĝ'	시계
hortulan'	멧새
hosti'	성찬식의 빵
hotel'	호텔
huf'	(동물) 발굽
humil'	겸손한
humor'	기분
hund'	개
husar'	경(輕)기병
huz'	흰돌고래, 용상어

I

I	[어미] 동사원형 어미, 불변화법 어미
ia	[목록어] 막연히 어떤, 어떠한 (성질, 형용)
ial	[목록어] 어떤 이유로
iam	[목록어] 언젠가
ibis'	따오기
id'	[접미사] 새끼나 자손을 나타냄 (보기: bov' 소 / bov'id' 송아지)
idili'	전원시, 전원문학
idol'	우상
ie	[목록어] 어떤 곳에
iel	[목록어] 어떤 방법으로
ies	[목록어] 누군가의
ig'	[접미사] 타동사화, 사동사화 접미사 (보기: pur' 깨끗한 / pur'ig' 깨끗하게 하다)
Iĝ'	[접미사] 자동사화, 피동사화 접미사 (보기: ruĝ' 붉은 / ruĝ'iĝ' 붉어지다)
iĥtiokol'	부레풀

il'	[접미사] 도구를 나타냄 (보기: tond' 자르다 / tond'il' 가위)
ili	[인칭대명사] 삼인칭 복수 (그들, 그것들)
ilumin'	전등으로 (집, 거리 등을) 장식하다
imag'	상상하다, 추측하다
imit'	모방하다
imperi'	큰 나라, 황제의 나라
implik'	얽히게 하다
impres'	인상
in'	[접미사] 여성을 나타냄 (보기: bov' 소 / bov'in' 암소)
incit'	화를 돋우다
ind'	[접미사] 피동의 가치를 나타냄 (-할 만하다) (보기: laŭd' 칭찬하다 / laŭd'ind' 칭찬 들을 만한)
indiferent'	냉담한, 전혀 관계가 없는
indign'	(부당한 일에 대해) 화를 내다
indulg'	(잘못을) 관대히 용서해 주다
industri'	산업
infan'	어린이
infekt'	전염시키다
infer'	지옥
influ'	영향을 끼치다
infuz'	물을 부어 우러나게 하다
ing'	[접미사] 삽입물, 피삽입물을 나타냄 (부분적으로만 감싸는 것) (보기: kandel' 초 / kandel'ing' 촛대)
ingven'	사타구니
inĝenier'	기사, 엔지니어

iniciat'	처음 시작하다
ink'	잉크
inklin'	-을 하고 싶어하는, -에 기울어진, 경향이 있는
inokul'	예방 접종하다, 접목하다, 사상을 주입하다
insekt'	곤충
insid'	함정을 놓다
insign'	배지, 휘장, 표지
inspir'	영감을 주다
instig'	-하도록 부추기다
institut'	연구소
instru'	가르치다
instrukci'	지시하다
insul'	섬
insult'	모욕하다, 욕설을 하다
int'	[접미사] 능동 완료 분사 (보기: far' 하다 / far'int' 하고 난)
intenc'	의도하다, -할 작정이다
inter	[전치사] - 사이에
interes'	재미있는
interjekci'	[문법] 감탄사
intermit'	간헐적으로 발생하다
intern'	내부의
interpunkci'	[문법] 구두점
intest'	창자
intim'	(감정적으로) 가까운, 친애하는
intrig'	계략, 음모, 술책을 꾸미다
invit'	초대하다
io	[목록어] 막연한 그 무엇

iom	[목록어] 조금, 약간
ir'	가다 ir'il' 발에 끼고 늪지 같은 곳을지나 가도록 만든 도구
is	[어미] 동사 과거 어미
ist'	[접미사] 직업을 가진 사람을 나타냄 (보기: mar' 바다 / mar'ist' 선원)
it'	[접미사] 피동 완료 분사 (보기: far' 하다 / far'it' 다 된)
iu	[목록어] 막연한 그 누구, 막연히 어떤 (개체, 사람, 사물)
izol'	격리시키다

J, Ĵ

j	[어미] 복수 어미
ja	[부사] 실로, 정말로
jak'	윗도리 (남자 옷)
ĵaluz'	시기하는, 질투하는
jam	[부사] 벌써
Januar'	1월
jar'	해, 년
jasmen'	재스민
ĵaŭd'	목요일
je	[전치사] 특별한 뜻이 없는 전치사, 주로 측정에 쓰임
jen	[부사] 여기에, 자, jen - jen 혹은 ~ 혹은
jes	[부사] 긍정의 답 (예, 그래) jes'ig' 확인해 주다
ĵet'	던지다
ĵongl'	저글링하다

ju – des	[부사] –하면 할수록 더 –하다
jug'	멍에
juĝ	재판하다, 판단하다
jugland'	호두
juk'	가렵게 하다, 간지럽히다
Juli'	7월
jun'	젊은, 어린
jung'	(말 따위에) 견인줄을 채우다
Juni'	6월
juniper'	노간주나무, 로렘나무
jup'	치마
ĵur'	맹세하다
ĵus	[부사] 조금 전에, 방금
just'	옳은
juvel'	보석

K

kaĉ'	죽
kadr'	틀, 테두리
kaduk'	노쇠한, 연약한
kaf'	커피
kaĝ'	새장, 운반이 가능한 우리
kahel'	타일, 윤이 나도록 구운 벽돌
kaj	[접속사] 그리고
kajer'	공책
kajut'	선실, 객실
kal'	피부 경결, 못
kaldron'	가마솥
kaleŝ'	마차

kalfatr'	콜타르 등으로 배에 생긴 틈을 메우다
kalik'	다리가 긴 유리 잔
kalikot'	옥양목
kalk'	석회
kalkan'	발 뒤꿈치
kalkul'	계산하다
kalson'	팬티
kalumni'	비방하다
kambi'	어음
kamel'	낙타
kamen'	벽난로 kamen'tub' 벽난로 굴뚝
kamer'	암실
kamfor'	장뇌(樟腦)
kamizol'	소매가 달린 위 속옷
kamlot'	낙타 모직물
kamomil'	카밀레 (국화과의 풀)
kamp'	들, 밭
kan'	갈대
kanab'	삼, 대마
kanajl'	악한, 깡패
kanap'	소파
kanari'	카나리아
kancelari'	협정 조인소, 문서 보관소
kancelier'	대법관, 수상, 대학 총장
kand'	사탕
kandel'	초
kankr'	가재
kant'	노래하다
kantarid'	딱정벌레, 투구벌레

kantor'	성가단원, 성가단 지휘자
kanvas'	캔버스
kap'	머리
kapabl'	능력
kapel'	기도소
kapitan'	대위, 선장
kapitel'	기둥의 꼭대기 부분
kapitulac'	항복하다
kapon'	식용으로 거세한 수탉
kapor'	풍조목속(風鳥木屬)의 관목, 또는 그 꽃봉오리의 초절임 (식용)
kapot'	모자가 달린 큰 외투, 자동차 보닛 (엔진 덮개)
kapr'	염소
kapreol'	노루
kapric'	변덕
kapsul'	캡슐
kapt'	잡다, 낚아채다 kapt'il' 덫
kapucen'	프란체스코 수도회 수사
kapuĉ'	큰 외투에 달린 모자, 자동차 등의 개폐형 덮개
kar'	사랑하는, 친애하는, 값 비싼
karaben'	카빈 소총
karaf'	유리 물병
karakter'	성격
karas'	붕어
karb'	숯, 석탄
kard'	엉겅퀴
kardel'	검은방울새

kares'	애무하다
kariofil'	못의 모양을 한 말린 백합 꽃의 새싹
karmin'	양홍색 물감 (보라색을 띤 붉은색)
karnaval'	축제
karo'	(카드놀이) 다이아몬드
karob'	쥐엄나무 열매
karot'	당근
karp'	잉어
karpen'	서나무속(屬) (자작나뭇과의 낙엽수)
kart'	카드
kartav'	자음을 (특히 'r') 목구멍 깊은 곳을 떨어주는 소리로 발음하다
kartilag'	연골
kartoĉ'	탄약통, 카트리지
karton'	두꺼운 종이
karusel'	회전목마
kaŝ'	숨기다
kaserol'	손잡이가 달린 냄비
kask'	헬멧
kaŝtan'	밤
kastel'	성(城), 성곽
kastor'	(동물) 비버
kastr'	거세하다
kat'	고양이
kataplasm'	(약) 파스, 습포
katar'	점액
katarakt'	백내장
katen'	족쇄, 차꼬
katun'	무명 천

kaŭteriz'	(치료) 불로 지지다
kaŭz'	야기하다 kaŭz'o 원인
kav'	구덩이
kavalir'	기사 (로마 시대 신분)
kavern'	동굴
kaviar'	캐비아, 철갑상어의 알젓
kaz'	[문법] 격, 경우
kaze'	우유 엉긴 것
ke	[접속사] 명사절이나 부사절을 이끄는 접속 사 (-라는 것)
kegl'	볼링
kel'	지하실, 지하 창고
kelk'	약간의
kelner'	식당 종업원
ken'	불쏘시개
ker'	(카드놀이) 하트
kern'	과일의 씨, 핵심
kerub'	천사, 귀여운 어린이
kest'	상자 tir'kest' 서랍
kia	[목록어] 어떠한 (의문)
kial	[목록어] 무슨 이유로 (의문)
kiam	[목록어] 언제 (의문)
kie	[목록어] 어디에 (의문)
kiel	[목록어] 어떻게 (의문)
kies	[목록어] 누구의 (의문)
kil'	(배나 비행선의) 용골
kio	[목록어] 무엇 (의문)
kiom	[목록어] 얼마나 많은 (의문)
kis'	입맞추다

kitel'	소매가 달린 긴 외투
kiu	[목록어] 누구, 어느 (의문)
klaft'	길이 단위 (1m 83cm)
klap'	밸브
klar'	맑은, 분명한
klarnet'	클라리넷
klas'	학급, 클래스
klav'	키, 버튼
kler'	교육을 받은, 지식이 있는
klimat'	기후
klin'	기울이다
klister'	관장약
klopod'	노력하다
kloŝ'	종 모양의 유리 덮개
klub'	클럽, 모임
kluz'	수문, 갑문
knab'	소년
kned'	반죽하다
koaks'	코크스
kobalt'	코발트
kobold'	(전설) 작은 귀신
koĉenil'	연지벌레, 연지벌레로 만든 물감 (붉은색)
kojn'	쐐기
kok'	닭, 수탉
kokcinel'	무당벌레
koket'	애교를 떠는, 유혹하는
kokluŝ'	백일해
kokos'	코코넛, 야자 열매
koks'	엉덩이, 허리 (골반 부분)

kol'	목 kol'um'칼라, 깃kol'har'oj 짐승의 갈기
kolbas'	소시지
koleg'	동료
kolekt'	모으다
koler'	화내다
kolibr'	벌새
kolimb'	물새 (헤엄치는 새)
kolofon'	송진, 수지
kolomb'	비둘기
kolon'	기둥, 원주, 난, 단
kolor'	색깔
kolport'	행상하다, 도부치다
kolubr'	무독성의 뱀
kom'	쉼표
komand'	명령하다
komb'	빗다
kombin'	조합하다
komenc'	시작하다
komentari'	논평하다, 비평하다, 주석하다
komerc'	장사하다 komerc'aĵ' 상품
komfort'	편안한, 안락한
komisi'	임무를 맡기다
komitat'	위원회
komiz'	점원
komod'	서랍이 있는 장
kompar'	비교하다
kompat'	동정하다
komplez'	호의
kompost'	조판하다, 식자하다

kompren'   이해하다

kompres'   압박 붕대

komun'   공동의   komun'um' 공동체

komuni'   (기독교, 가톨릭) 성찬에 참여하다

komunik'   통지하다

kon'   알고 있다

koncern'   관련이 있다

kondamn'   유죄를 선언하다

kondiĉ'   조건

kondolenc'   조의를 표하다

konduk'   인도하다   konduk'il' 고삐

kondut'   처신하다

konfes'   고백하다

konfid'   믿고 맡기다, 신임하다

konfirm'   확인하다, 확인해 주다

konfit'   과일을 설탕 절임하다, 잼을 만들다

konform'   합당한, 의도나 지시에 맞은

konfuz'   혼동하다, 혼동하게 만들다

konjekt'   추측하다

konjugaci'   [문법] 동사변화 (인칭과 수에 따른)

konjunkci'   [문법] 대등접속사

konk'   조개껍질

konklud'   결론을 내리다

konkur'   경쟁하다, 경주하다

konkurs'   콩쿠르, 경쟁

konsci'   의식하다, 자각하다

konscienc'   양심

konsent'   동의하다

konserv'   보관하다, 보존하다

konsider'	고려하다
konsil'	충고하다, 조언을 주다
konsist'	구성되다
konsol'	위로하다
konsonant'	[문법] 닿소리, 자음
konspir'	음모를 꾸미다 (정치적으로)
konstant'	계속적인, 불변의, 끊임없는
konstat'	사실을 확인하다
konstern'	깜짝 놀라게 하다, 좌절시키다
konstru'	건축하다, 세우다, 짓다
konsum'	소비하다, 소모하다
kontant'	항구적인, 변치 않는
kontent'	만족한
kontor'	회사나 공장하고 고객 사이를 연결시켜 주는 사무실
kontrakt'	계약하다
kontraŭ	[전치사] -에 맞서, 대항하여　　kontraŭ'e 반대로, 맞은편에
kontur'	윤곽(선)
kontuz'	타박상을 입히다, 멍들게 하다
konval'	은방울꽃
konven'	적합하다
konvert'	개종시키다, 변화시키다
konvink'	설득하다
konvulsi'	자극시키다, 경련을 일으키게 하다
konus'	원뿔(체)
kopi'	복사하다
kor'	마음, 심장
koran'	코란

korb'   바구니
kord'   (악기) 현, 줄, 끈
korekt'   고치다
korespond'   편지를 주고받다
kork'   코르크
korn'   뿔
kornic'   벽 윗부분에 장식으로 두른 돌출부
korp'   몸, 신체
korporaci'   회사, 법인, 조합
korpus'   [군대] 군단
kort'   뜰   kort'eg' 조정 (왕정시대의)
korv'   까마귀
kost'   (얼마의) 값이 나가다   kost'o 값
kostum'   복장, 복식
kot'   진흙
koton'   솜, 면화
koturn'   메추라기
kov'   알을 품다, 감싸다
kovert'   봉투
kovr'   덮다, 닫다   kovr'il' 덮개   mal'kovr' 드
              러내다, 폭로하다
kraĉ'   (침) 뱉다
krad'   빗장, 횡선, 크로스바 (울타리, 창문 가리개
              용, #표시)
krajon'   연필
krak'   찢어지는 (터지는) 소리가 나다
kraken'   크래커 (과자)
kramp'   꺾쇠, 철침 ('['나 '('의 모양), 괄호
kran'   꼭지 (열거나 잠글 수 있는)

kratag'	산사나무
krater'	고대 그리스에서 사용한 크고 넓은 용기
kravat'	넥타이
kre'	창조하다
kred'	믿다 kred'ebl' 분명히
krem'	크림
kren'	양고추냉이
krepusk'	저녁이나 아침의 노을
kresk'	자라다 kresk'aĵ' 식물
kret'	분필
krev'	쪼개지다
kri'	외치다
kribr'	채로 걸러내다
krim'	죄 (법적인 죄)
kriminal'	범죄의, 형사상의
kring'	작은 고리 모양을 한, 설탕이 발린 마른과자
kripl'	불구의
krisp'	장간막(腸間膜)
Krist'	구세주, 그리스도 krist'an' 기독교인
	Krist'nask' 크리스마스
kritik'	비평하다, 비판하다
kriz'	위기
kroĉ'	낚아채다, 꿰매다
krokodil'	악어 (열대지방의)
krom	[전치사] -을 제외하고, - 외에
kron'	(왕)관
kronik'	연대기, 의사록
krop'	모이주머니
kroz'	크로즈여행을 하다, 순항하다

kruc'   십자가   kruc'um' 십자가에 매달아 처형
          하다
kruĉ'   주전자
krud'   날것의, 생의, 가공되지 않은
kruel'   잔인한
krup'   후두 디프테리아
krur'   (신체) 다리 (무릎에서 발까지)
krust'   딱딱한 껍질
krut'   낭떠러지의, 절벽의
kub'   육면체
kubut'   팔꿈치
kudr'   바느질하다, 꿰매다
kuf'   두건
kugl'   총알
kuir'   음식을 만들다, 요리하다
kuk'   구운 과자
kukol'   뻐꾸기
kukum'   오이
kukurb'   호박
kul'   모기
kuler'   숟가락
kulp'   죄가 있는, 잘못이 있는
kun   [전치사] -와 함께   kun'e 함께
kunikl'   집토끼
kup'   부항(단지)
kupol'   둥근 지붕, 돔
kupr'   구리   flav'a kupr'o 황동
kur'   달리다
kurac'   치료하다   kurac'il' 치료기구

kuraĝ	용감한
kurator'	법적 보호인, 대리인
kurb'	휘어진
kurier'	특사, 급사(急使)
kurten'	커튼 flank'kurten' 무대 옆의 작은 커튼 rul'kurten' 감아 올리는 커튼
kusen'	방석, 쿠션 kusen'eg' 긴 쿠션
kuŝ'	누워 있다, 놓여 있다 sub'kuŝ' 굴복하다
kutim'	버릇들다, 익숙하게 되다
kuv'	큰 용기 (혼자 목욕하기 적당한 크기의)
kuz'	사촌
kvankam	[접속사] 비록 −할지라도
kvant'	용량
kvar	[수사] 넷 (4)
kvaranten'	격리
kvarc'	석영(石英)
kvart'	(용량의 단위) 약 0.3리터
kvartal'	도시의 구역
kvazaŭ	[부사] 마치 −처럼
kverk'	참나무, 오크
kviet'	조용한
kvin	[수사] 다섯 (5)
kvit'	빚을 다 갚은, 의무를 다한
kvitanc'	영수증, 수령증

L

l', la	관사
labor'	일하다 per'labor' 생계를 꾸려 나가다 pri'labor' −을 손보다, 배양하다

lac'	피곤한, 지친
lacert'	도마뱀
laĉ'	끈 (콜셋, 구두 등을 묶는)
lad'	금속 판
laf'	용암
lag'	호수 lag'et' 연못
lak'	래커 (칠, 옻)
lake'	하인
laks'	설사
lakt'	우유 lakt'um' 수컷 물고기의 어백(魚白)
lam'	다리를 저는, 서투른
lamp'	등, 전등
lampir'	개똥벌레
lan'	(양)털
land'	나라, 땅
lang'	혀
lantern	초롱, 랜턴
lanug'	새의 부드러운 털
lard'	(돼지의) 지방
larĝ'	넓은 laŭ'larĝ' 옆으로, 폭으로
laring'	후두
larm'	눈물
larv'	애벌레, 유충
las'	허락하다, 내버려두다
last'	마지막의, 최근의
laŭ	[전치사] −를 따라
laŭb'	아취가 있는 정자
laŭd'	칭찬하다
laŭr'	월계수

laŭt'	소리가 큰
lav'	씻다
lavang'	(눈, 돌, 흙) 사태
lecion'	학과, 수업
led'	가죽
leg'	읽다
legend'	전설
legi'	군단 (고대 로마의)
legom'	채소
leĝ'	법
lek'	핥다
lekant'	(꽃) 데이지
leksikon'	단어장
lent'	편두(扁豆), 렌틸콩 (렌즈콩)
lentug'	주근깨, 기미, 반점
leon'	사자
leontod'	민들레
leopard'	표범
lepor'	산토끼
lepr'	나병, 한센병
lern'	배우다, 익히다 lern'ej' 학교
lert'	능숙한
lesiv'	잿물
leter'	편지
leŭtenant'	[군대] 중위
lev'	들다, 들어올리다 lev'il' 지렛대, 기중기
levkoj'	계란풀
li	[인칭대명사] 삼인칭 남성(그이) li'a 그의
lian'	열대산 덩굴 식물

libel'	잠자리
liber'	자유로운
libr'	책　 libr'o'ten'ant' (장부를 관리하는)서기
lien'	지라, 비장
lig'	결합하다
lign'	목재, 땔감
liken'	(식물) 이끼
likvid'	청산하다
likvor'	술 (브랜디 류)
lili'	백합, 나리
lim'	한계　 lim'ig' 제한하다
limak'	민달팽이
limonad'	레몬수 음료
lin'	아마 섬유
lingv'	언어
lini'	선, 열, 줄
link'	스라소니
lip'	입술　 lip'har'o'j 콧수염
lir'	수금, 리라 (화폐)
lit'	침대
litani'	호칭 기도 (선창과 응답 형식의)
liter'	글자
liut'	류트 (현악기의 일종)
liver'	전달하다
livre'	제복 (하인, 고용인 등에 입힌)
lod'	고대 유럽에서 쓰던 용적 단위
log'	유혹하다　 de'log' 유혹해 내다
loĝ'	거주하다, 묵다
loĝi'	극장 등의 작은 방

lojt'	모캐 (담수어)
lok'	장소
lokomotiv'	기관차
lol'	독보리
long'	긴　laŭ'long' 길이로
lonicer'	인동덩굴
lorn'	쌍안경, 작은 망원경
lot'	제비를 뽑다　lot'um' 제비뽑기로 정하다
lu'	세를 내고 빌리다
lud'	놀다, (역할을) 하다
luks'	화려함
lul'	아기를 흔들어 재우다　lul'il' 요람
lum'	빛나다　mal'lum'a 어두운　lum'tur' 등대
lumb'	허리 뒷부분
lun'	달
lunatik'	몽유병자
lund'	월요일
lup'	늑대
lupol'	홉 (식물, 맥주의 향미용)
lustr'	샹들리에
lut'	납땜하다
lutr'	수달

M

mac'	무교병 (누룩을 넣지 않은 빵)
maĉ'	씹다
magazen'	큰 가게, 백화점
magi'	마술
magnet'	자석

maiz'	옥수수
Maj'	5월
majest'	장엄한
majstr'	대가 sub'majstr' 여러 곳을 다니며 기술을 배우는 사람
makler'	중개인
makul'	점, 얼룩
makzel'	턱
mal'	[접두사] 반대, 부정을 나타냄 (보기: bon' 좋은 / mal'bon' 나쁜)
maleol'	복사뼈
malgraŭ	[전치사] −에도 불구하고
malic'	사악한
mam'	젖, 유방
man	손 man'plat'손바닥 man'um' 소매 끝부분
mana'	만나 (성경)
mangan'	망간
manĝ	먹다 manten'manĝ' 아침식사 tag'manĝ' 점심식사 vesper'manĝ' 저녁식사
manier'	방식
manik'	소매
mank'	모자라다
manovr'	조종하다
mantel'	망토
mar'	바다
marĉ'	늪
marĉand'	흥정하다
marcipan'	으깬 아몬드와 설탕으로 만든 과자

mard'	화요일
mark'	마크, 표, 기호
markot'	휘묻이, 자손
marmor'	대리석
marmot'	마멋 (설치류)
maroken'	모로코 가죽, 무두질한 염소 가죽
marŝ'	행진하다
marŝal'	[군대] 원수
Mart	3월
martel'	망치
mas'	덩어리
maŝ'	뜨개실로 짠 고리
maŝin'	기계
masiv'	꽉 찬, 육중한, 부피가 큰
mask'	마스크
mason'	돌, 벽돌 등으로 쌓다
mast'	돛대
mastik'	회반죽
mastr'	주인 mastr'um' 집안일을 하다
mat'	깔판, 매트
maten'	아침
matrac'	매트리스
matur'	성숙한, 익은
mebl'	가구
meĉ'	불 심지 meĉ'aĵ' 부싯깃
medal'	메달
medalion'	작은 금합(金盒), 로켓
medit'	명상하다
meĥanik'	기계학, 메커니즘

mejl'	마일 (거리)
mel'	오소리
meleagr'	칠면조
melk'	우유를 짜다
melon'	멜론, 참외 akv'melon' 수박
mem	[부사] 스스로
membr'	회원
membran'	얇은 막
memor'	기억하다
mem'star'	자립의
mend'	주문하다
mensog'	거짓말하다
ment'	박하
menton'	아래턱
merit'	-할 만하다, -의 가치가 있다
meriz'	버찌의 일종, 버드 체리
merkred'	수요일
merl'	지빠귀
mes'	미사 (가톨릭)
Mesi'	구세주, 메시아
met'	놓다, 두다 el'met' 내놓다
meti'	수공예
mev'	갈매기
mez'	가운데 tag'mez' 정오
mez'o'nombr'	평균 수치
mezur'	측정하다, 재다 al'mezur' 수치를 재다
mi	[인칭대면사] 일인칭 단수 (나) mi'a 나의
miel'	꿀
mien'	표정

migdal'	아몬드
migr'	이주하다
miks'	섞다
mil	[수사] 천 (1,000)
mili'	기장, 수수, 조
milit'	전쟁치다, 싸우다 al'milit' 정복하다
min'	광산
minac'	위협하다, 협박하다
minut'	분 (시간)
miogal'	두더지의 일종 (곤충을 잡아먹음)
miop'	근시의
miozot'	물망초
mir'	놀라다
mirh'	몰약
mirt'	도금양(桃金孃) (상록 관목)
mirtel'	월귤나무 열매
misi'	선교, 임무
mister'	신비 mister'a 신비한
mizer'	비참(함)
mod'	유행
model'	모델
moder'	적당한, 절제된, 알맞은
modest'	겸손한, 수수한
mok'	조롱하다
mol'	부드러운, 유연한, 말랑한
mol'anas'	물오리
moment'	순간
mon'	돈
monah'	수도사

monarĥ'	군주
monat'	달 (기간)
mond'	세상, 세계
moned'	갈가마귀
monstr'	괴물
mont'	산
montr'	보여주다, 가리키다
monument'	기념비
mops'	짧은 털의 코가 납작한 애완견
mor'	관습
morbil'	홍역, 풍진
mord'	물다 mord'et' 갉다
morgaŭ	[부사] 내일
mort'	죽다
morter'	회반죽, 모르타르
morus'	뽕, 오디
most'	포도액 (포도주가 되기 전)
moŝt'	존칭 (앞이나 뒤에 그 계급이나 관직을 씀) (보기: via reĝa moŝto 폐하)
mov'	옮기다, 움직이다
muel'	곡식을 빻다
muf'	머프 (양손을 따뜻하게 하는 모피로 만든 외짝의 토시 같은 것)
muĝ'	(소가) 울다
muk'	(동물) 점액, 분비액, (식물) 진
mul'	노새
mult'	많은
mur'	벽, 담
murmur'	중얼거리다, 불평하다

mus'	쥐
muŝ	파리
musk'	이끼
muskat'	육두구 씨 (향신료)
muskol'	근육
muslin'	옥양목, 모슬린
mustard'	겨자, 머스터드
mustel'	족제비
mut'	벙어리의, 말이 없는

N

n	[어미] 목적격 어미
naci'	민족, 나라
naĝ'	헤엄치다, 수영하다
najbar'	이웃
najl'	못
najtingal'	나이팅게일,
nanken'	남경 목면
nap'	평지 (배추의 일종)
narcis'	수선화
nask'	낳다 nask'iĝ' 태어나다 du'nask'it' 쌍둥이
natur'	자연
naŭ	[수사] 아홉 (9)
naŭz'	구역질 나게 하다
naz'	코　　naz'um' 코안경
ne	[부사] 부정의 부사 (아니요, 아니)
nebul'	안개
neces'	필요한　　neces'ej' 화장실　neces'uj' 일상의 필요한 것들을 담아두는 통

neĝ'	눈(雪)
negliĝ'	실내복, 네글리제
negoc'	매매 협상하다
nek – nek	[부사] -도 아니고 -도 아니다
nenia	[목록어] 어떠한 -도 아닌
neniam	[목록어] 켤코 - 않다
nenie	[목록어] 어디에도 - 않다
neniel	[목록어] 무슨 방법으로도 - 못하다
nenies	[목록어] 어느 누구의 것도 아니다
nenio	[목록어] 아무것도 - 않다
neniu	[목록어] 어느 누구도 - 않다
nep'	손자
nepr'e	반드시
nest'	둥지
net'	정리된, 깨끗한, 순수한, 순…mal'net' 초안
nev'	조카
ni	[인칭대명사] 일인칭 복수 (우리) ni'a 우리의
niĉ'	벽감(壁龕) (조각품 등을 올려놓는),틈새시장
nigr'	검은
nivel'	수준
nj'	[접미사] 여성 애칭 (보기: Mari' 마리아 / Ma'nj' 마리아의 애칭)
nobel'	귀족
nobl'	고귀한
nokt'	밤 (夜)
nom'	이름 nom'i 이름 짓다 nom'e 즉,이름하여
nombr'	수 unu'nombr' 단수
nominativ'	[문법] 주격

nord'	북쪽
not'	기록하다 not'o 기록
notari'	공인된 서기, 공식 문서 작성자
nov'	새로운
Novembr'	11월
novic'	초보자, 신참
nu!	[감탄사; 접속사] 그럼, 자; 그리고, 그러면
nuanc'	뉘앙스, (색상의) 미묘한 차이
nub'	구름
nud'	벌거벗은
nuk'	목덜미
nuks'	딱딱한 열매, 견과
nul'	[수 명사] 영
numer'	번호
nun	[부사] 지금
nur	[부사] 오직
nutr'	기르다, 영양을 공급하다

O

o	[어미] 명사 어미
obe'	복종하다, 따르다, 준수하다
objekt'	사물, 대상
obl'	[접미사] 수사에 붙어 배수를 나타냄 (보기: du 2 / du'obl' 두배)
oblat'	성찬식 빵, 녹말로 만든 캡슐, 과일 파이용의 얇고 둥근 빵
observ'	관찰하다, 준수하다
obstin'	고집이 센
obstrukc'	방해하다

odor'   냄새나다

ofend'   약올리다, 화나게 하다, 기분을 거스르다

ofer'   제물로 바치다, 봉헌하다, 기부하다

ofic'   사무   ofic'ist' 사무원   ofic'ej' 사무실

oficir'   장교

oft'   자주

ok   [수사] 여덟 (8)

okaz'   발생하다   okaz'o 경우   okaz'a 우연한

okcident'   서쪽

oksigen'   산소

oksikok'   덩굴월귤

Oktobr'   10월

okzal'   (식물) 괭이밥류

okul'   눈   okul'har' 속눈썹   okul'vitr' 안경

okup'   점령하다

ol   [접속사] -보다 (더)

ole'   기름

oliv'   올리브

omar'   바닷가재

ombr'   그림자

ombrel'   우산

on'   [접미사] 수사에 붙어 분수를 나타냄 (몇분
             의 일) (보기: kvar 4 / kvar'on' 1/4)

ond'   파도

oni   [인칭대명사] 삼인칭 세칭 (사람들)

onkl'   아저씨

ont'   [접미사] 능동 예정 분사

op   [접미사] 수사에 붙어 집합수를 나타냄 (보
             기: du 2 / du'op' 둘이 모인 것)

opal'	(보석) 오팔
opini'	의견
oportun'	편리한, 편한
or'	금
orakol'	예언자, 신탁을 전하는 사람, 신탁, 신탁소, 지성소
oranĝ'	오렌지
ord'	차례, 질서
orden'	메달, 수도회
ordinar'	일반의, 보통의
ordon'	명령하다
orel'	(신체) 귀
os	[어미] 동사 미래 어미
osced'	하품하다
ost'	뼈
ot'	[접미사] 피동 예정 분사
ov'	알, 달걀 ov'uj'난소 ov'blank' 달걀 흰자질
oval'	타원형

P

pac'	평화
pacienc'	인내(심)
paf'	쏘다 paf'il' 총 paf'il'eg' 대포
pag'	지불하다 de'pag' 세금으로 내야 하는 모든 것
paĝ'	(책) 쪽, 면
paĝi'	왕, 왕비, 귀족 등의 시동(侍童)
pajl'	짚
pak'	포장하다, 꾸리다

pal'	창백한
palac'	궁전
palat'	입천장
paletr'	팔레트, 조색판
palis'	땅에 꽂아 놓은 막대기, 말뚝
palm'	야자나무, 종려나무
palp'	만져보다, 더듬다
palpebr'	눈꺼풀 palpebr'um' 눈꺼풀을 깜빡이다
pan'	빵
pantalon'	바지
panter'	퓨마 (검은색)
pantofl'	실내용 슬리퍼
pap'	교황
papag'	앵무새
papav'	(식물) 양귀비
paper'	종이
papili'	나비
par'	쌍
parad'	예식적인 행진
paradiz'	천국
paraliz'	마비시키다
parazit'	기생충
pardon'	용서하다
parenc'	친척
parentez'	삽입구, 괄호
parfum'	향기, 향수
parget'	나무쪽으로 모자이크한 마루
park'	공원
parker'	암기하여

paroĥ'	(종교) 교구
parol'	말하다　inter'parol' 대화하다　el'parol' 발설하다, 발음하다
part'	부분　part'o'pren' 참가하다, 참여하다
parter'	건물의 일층 (특히 극장의)
parti'	(정치) 당, 편
particip'	[문법] 분사
paru'	박샛과의 작은 새
pas'	지나가다
paŝ'	걷다, 발걸음을 옮기다
pasament'	장식용 끈　pasament'ist' 장식용 끈을 만들거나 파는 사람
paser'	참새
pasi'	열정
Pask'	(유대교) 유월절, (기독교) 부활절
pasport'	여권
past'	반죽
paŝt'	방목하다
pasteĉ'	고기 반죽
pastel'	알약
pastinak'	파스닙, 방풍나물
pastr'	(가톨릭) 신부
pat'	프라이팬
patr'	아버지　patr'uj' 조국
patrol'	순찰대
paŭz'	잠깐 중단함, 휴지
pav'	(새) 공작
pavim'	포장된 도로
pec'	조각

peĉ'	피치 (원유, 콜타르 따위를 증류시킨 뒤 남는 검은 찌꺼기)
pedik'	이 (기생충)
peg'	딱따구리
pejzaĝ'	풍경
pek'	죄 (종교적, 도덕적 죄)
pekl'	소금(물)에 절이다
pel'	몰다, 내몰다
pelikan'	펠리컨, 사다새
pelt'	모피
pelv'	대야
pen'	애쓰다
pend'	걸려 있다 de'pend' -에 의지하는 el'pend'aĵ' 간판
pendol'	매달려 흔들리는 추
penetr'	통과하다
penik'	붓
pens'	생각하다 el'pens' 고안하다 pri'pens' 고 려하다
pensi'	연금을 주다
pent'	후회하다
Pentekost'	(유대교) 수장절,(기독교) 성령강림절, 오순절
pentr'	(그림) 그리다
pep'	(새) 지저귀다
per	[전치사] -로써 per'a 중개의 per'i 중개 하다
perĉ'	농물고기의 작은 민물고기
perd'	잃다
perdrik'	(새) 반시(半翅), 자고(鷓鴣)류

pere'	소멸하다, 멸망하다 pere'ig' 멸망시키다
perfekt'	완전한, 완벽한
perfid'	배반하다 perfid'a 배반의, 배반하는
pergamen'	양피지
peritone'	복막
perk'	농물고기의 식용 담수어
perl'	진주
perlamot'	자개, (진주조개 속의)진주층(層),진주모(母)
permes'	허락하다 for'permes' 휴가를 주다
peron'	현관 층계
persekut'	핍박하다, 추격하다
person'	사람, 개인 person'a 개인적인
pes'	저울에 달다 pes'il' 저울
pest'	페스트
pet'	청하다
petol'	장난치다
petrol'	석유
petromiz'	칠성장어
petrosel'	파슬리
pez'	(얼마의) 무게가 나가다 pez'il' 무게를 달기 위해 놓는 쇳덩어리
pi'	경건한
pice'	가문비나무
pied'	발 pied'ing' 말을 탈 때 발을 넣어 올라타는 도구
piedestal'	주춧대, 대좌
pig'	까치
pik'	찌르다 pik'il' 창
piked'	전초 부대

pilk'	공
pilol'	알약, 환약
pilot'	비행기 조종사, 선박 예인기사
pin'	소나무
pinĉ'	꼬집다
pingl'	핀, 바늘
pini'	지중해 연안 원산인 소나무의 일종
pint'	뾰족한 끝, 첨단, 꼭대기
pionir'	첨병, 선구자
pip'	담뱃대
pipr'	후추
pips'	가금(家禽)의 혀나 목에 생기는 병
pir'	배 (과일)
pirit'	황철광(黃鐵鑛)
pirol'	피리새
piroz'	역류성 식도염
pist'	빻다
piŝt'	피스톤
pistak'	피스타치오 (열매)
pistol'	권총
piz'	완두콩
plac'	광장
plaĉ'	마음에 들다
plad'	접시, 접시에 담긴 음식
plafon'	천장
plan'	계획
pland'	발바닥
planed'	행성
plank'	바닥

plant'	나무를 심다
plastr'	밴드 에이드, 일회용 반창고
plat'	판 (금속, 나무 따위의)
platen'	백금
plaŭd'	파도 소리를 내다, 널빤지 부딪히는 소리를 내다
plej	[부사] 최상급의 부사
plekt'	땋다
plen'	충만한 plen'aĝ' 성인의 plen'um' 수행하다
plend	불평하다
plet'	큰 쟁반 (음식 그릇을 받치는 큰 쟁반)
plezur'	기쁨
pli	[부사] 비교급의 부사
plik'	(머리)털이 엉켜붙은 모양, 지방분비가 과도한 병
plor'	울다
plot'	(물고기) 배가 희고 눈과 지느러미가 빨간 담수어 (유럽과 서아시아)
plu	[부사] 더, 더 이상
plug'	쟁기로 땅을 갈아 일구다
plum'	깃, 펜
plumb'	납
pluŝ'	털이 조금 긴 벨벳, 플러시천
pluv'	비오다
po	[전치사] -씩
poent'	점수 (운동시합)
pokal'	받침이 달린 긴 깔때기 모양의 잔
polic'	경찰

poligon'	마디풀
polur'	잘 닦아서 나는 광
polus'	(지구의) 극
polv'	먼지
pom'	사과　ter'pom' 감자
ponard'	양날의 단도　ponard'eg' 창
pont'	다리 (교량)
popl'	포플러, 미루나무
popol'	민중, 국민, 민족　popol'amas' 대중
por'	[전치사] -을 위하여　(여기에는 〈'〉표시가 필요하지 않음, 역자주)
porcelan'	자기 제품
porci'	몫
pord'	문　pord'eg' 대문
porfir'	반암(斑岩)
pork'	돼지
port'	운반하다　al'port' 가져오다　el'port' 꺼내다, 견디다
porter'	초상화
poŝ'	주머니
posed'	소유하다
post	[전치사] - 뒤에
poŝt'	우편　sign'o de poŝt'o 우표
posten'	계급, 지위
postul'	요구하다
pot'	항아리
potas'	잿물, 가성 칼리
potenc'	힘, 권력
pov'	-할 수 있다

pra'	[접두사] 고대의, 일 대 전후의
praktik'	실천
pram'	거룻배
prav'	옳은, 참된
precip'	특히, 우선
preciz'	자세한
predik'	설교하다
predikat'	[문법] 서술어
prefer'	선호하다
preĝ'	기도하다
prem'	누르다
premi'	상
pren'	잡다, 취하다 pren'o 택함, 택해진 것
pren'il'	잡는 도구, 특히 펜치
prepar'	준비하다
prepozici'	[문법] 전치사
pres'	인쇄하다
preskaŭ	[부사] 거의
pret'	준비된
pretekst'	변명
pretend'	(당연한 권리로서) 요구하다, -인 척하다
preter	[전치사] - 주위로, 근처로
prez'	값
prezent'	제의, 제안, 소개, 공연하다 re'prezent' 대표하다
prezid'	사회를 보다
pri	[전치사] -에 관하여
primol'	앵초
princ'	왕자

printemp'	봄
privat'	사적인
privilegi'	특권
pro	[전치사] - 때문에
procent'	비율, 이자　　procent'eg' 보통보다 높은 비율, 높은 이자
proces'	소송
produkt'	생산하다
profesi'	직업
profet'	예언자, 대언자
profit'	이익을 얻다, 득을 보다
profund'	깊은
progres'	발전하다
proklam'	공표하다, 선언하다
prokrast'	연기하다
proksim'	가까운
promen'	산책하다
promes'	약속하다
promontor'	곶, 갑(岬)
pronom'	[문법] 대명사
propon'	제안하다
propr'	개인 소유의, 고유의
prosper'	번창하다
prov'	시도하다, -해보다, 시험하다
proverb'	속담
provinc'	지방, 주(州), 성(省), 도(道)
proviz'	공급하다
prudent'	사려깊은, 분별력 있는
prujn'	서리

prun'	자두
prunel'	자두나무의 일종
prunt'	빌다, 빌리다
pruv'	증명하다
publik'	대중, 군중 publik'a 대중의, 공공의
pudel'	푸들 (개)
pudr'	분, 가루
pugn'	주먹
pul'	벼룩
pulm'	허파
pulv'	화약
pulvor'	가루
pumik'	속돌, 부석(浮石), 화산암
pump'	펌프질하다
pun'	벌하다, 벌주다
punc'	심홍색의
punĉ'	펀치 (설탕이나 과일즙 등을 섞은 술, 음료)
punkt'	점 punkt'o'kom'세미콜론 du'punkt' 콜론
punt'	레이스 (꽃다발을 감싸는 천 같은 것)
pup'	인형
pupil'	눈동자, 동공
pur'	깨끗한
purpur'	보라색
pus'	고름
puŝ'	밀다
put'	우물
putor'	족제비
putr'	썩다

R

rab'	강탈하다
rabat'	할인
raben'	랍비 (유대교)
rabot'	대패로 밀다
rad'	바퀴
radi'	광선
radik'	뿌리
rafan'	무 (채소)
rafin'	정제하다, 정련하다
rajd'	(말을) 타고 가다
rajt'	권리 rajt'ig' 권리를 주다, -하게 하다
rakont'	이야기하다
ramp'	기다 ramp'aĵ' 길짐승
ran'	개구리
ranc'	썩은 냄새가 나는
rand'	가장자리
rang'	계급
ranunkol'	미나리
rap'	순무
rapid'	빠른
rapir'	가볍고 가느다란 칼의 일종(결투용), 펜싱칼
raport'	보고하다
rasp'	갈다 (설탕, 치즈, 당근 등)
rast'	갈퀴로 긁어 모으다
rat'	쥐
raŭk'	쉰 목소리의
raŭp'	유충, 모충
rav'	유혹하다

raz'	면도하다
re'	[접두사] 반복, 회귀를 나타냄
reciprok'	상호의, 교환의
redakci'	편집실
redaktor'	편집인
reg'	지배하다, 다스리다 reg'at' 피지배인
reĝ'	왕
regal'	대접하다
regiment'	연대 (군대 조직)
region'	지역
registr'	기록물
regn'	나라
regol'	상모솔새
regul'	규칙
rekomend'	추천하다
rekompenc'	보답하다
rekrut'	신병, 신참
rekt'	직각의 mal'rekt' 직각이 아닌, 굽은
rel'	레일 (철도)
religi'	종교
rem'	노를 저어 나가다
rembur'	(방석 등을) 솜이나 털로 채워 넣다
rempar'	누벽, 성벽, 방어물
ren'	콩팥, 신장(腎臟)
renkont'	만나다
rent'	일년치 세
renvers'	뒤엎다, 넘어뜨리다
respekt'	존경
respond'	대답하다 respond'ec' 책임을 지다

rest'	남다
restoraci'	식당
ret'	그물망
rev'	갈망하다, 꿈꾸다 dis'rev'iĝ' 좌절, 꿈이 무산됨
rezerv'	예약하다, 어떤 일에 쓰려고 남겨두다
rezin'	수지, 송진
rib'	까치밥나무 열매
ribel'	반역하다, 폭동을 일으키다
riĉ'	부유한, 풍부한
ricev'	받다
rid'	웃다
rif'	암초
rifuĝ'	피난 가다, -로부터 도피하다
rifuz'	거절하다, 거부하다 rifuz'iĝ' 사양하다
rigard'	바라보다
rigid'	딱딱한
rigl'	문을 잠그다 (문빗장으로) rigl'il' 문빗장
rikolt'	수확하다 rikolt'il' 낫
rilat'	관계가 있다
rim'	(시의) 각운
rimark'	눈여겨 보다
rimed'	수단
rimen'	고삐
ring'	고리, 반지 ring'eg' 큰 테 (술통 등에 쓰이는)
rinocer'	코뿔소
rip'	갈비뼈
ripet'	반복하다

ripoz'	쉬다
riproĉ'	비난하다
risk'	위험을 무릅쓰다
risort'	용수철
river'	강
riverenc'	절하다
riz'	쌀
rod'	항구 밖의 정박지
romp'	깨다
rond'	원, 동호인의 모임
rosmar'	해마, 바다코끼리
rosmaren'	로즈메리 (식물)
rost'	굽다
rostr'	코끼리나 돼지 등의 길게 나온 코
rot'	중대 (군대)
roz'	장미
rozari'	묵주 (가톨릭)
rub'	쓰레기, 부서진 건물이 잔해
ruband'	리본
ruben'	루비 (보석)
rubrik'	표제, 어느 표제 아래에 쓰인 한 편의 글
ruĝ'	붉은
ruin'	폐허　ruin'ig' 폐허로 만들다
rukt'	트림하다
rul'	굴리다　rul'o 중심축을 중심으로 회전하는 원통형 물건 (타자기의 축, 페인트 칠 기구 등)
rum'	럼주 (술)
rust'	녹

ruz'   교활한

S, Ŝ

sabat'   토요일
sabl'   모래   sabl'aĵ' 모래톱, 사구
ŝaf'   양
safir'   사파이어 (보석)
safran'   (식물) 사프란
sag'   화살
saĝ'   지혜로운
sagac'   현명한, 총명한, 교활한
ŝajn'   -처럼 보이다
sak'   자루, 돈주머니
ŝak'   체스
ŝakal'   (동물) 자칼
sakr'   욕하다, 저주하다
sal'   소금
salajr'   월급
salamandr' 불도마뱀
sal'amoniak' 염화암모늄 (NH4Cl)
salat'   샐러드
salik'   버드나무
salm'   연어
ŝalm'   피리
salon'   홀, 살롱, 큰 방
salpetr'   질산칼륨
salt'   깡총깡총 뛰다 (아래위로)
salut'   인사하다
salvi'   (식물) 세이지

sam'	같은
sambuk'	양딱총나무
san'	건강한
ŝancel'	흔들다
sang'	피
ŝanĝ'	바꾸다
sankt'	신성한　sankt'ej' 사당, 제사 지내는 곳
sap'	비누
sardel'	안초비 (멸치류)
ŝarg'	장전하다, 충전하다
ŝarĝ'	짐을 싣다, 심적으로 억누르다
sark'	땅에서 잡초를 뽑다
ŝark'	상어
sat'	배부른, 포화상태의
ŝat'	좋아하다, 높이 평가하다 mal'ŝat' 싫어하다
satur'	삼투시키다, 포화시키다
saŭc'	소스 (주로 액체 양념)
ŝaŭm'	거품
sav'	구하다
sceptr'	(왕의) 홀, 권위
sci'	알고 있다　sci'ig' 알리다　sci'iĝ' 알게 되다
scienc'	과학
sciur'	다람쥐
se	[접속사] 만약 -라면 (-일 경우)
seb'	(동물의) 기름, 수지
sed	[접속사] 그러나
seg'	톱질하다
seĝ'	의자

sek'	건조한
sekal'	호밀
sekc'	해부하다
sekret'	비밀
sekretari'	비서
seks'	성(性)
sekund'	초 (시간)
sekv'	따르다
sel'	(말의) 안장 sel'i 안장을 얹다
ŝel'	껍질 sen'ŝel'ig' 껍질을 벗기다
selakt'	유장(乳漿), 커드
ŝelk'	멜빵
sem'	씨뿌리다 sem'o 씨
semajn'	주 (週)
sen	[전치사] – 없이
senc'	의미
send'	보내다
sent'	느끼다
sentenc'	격언, 금언
sep	[수사] 일곱 (7)
sepi'	오징어
Septembr'	9월
serĉ'	찾다
ŝerc'	농담하다
serĝent'	하사, 병장
seri'	시리즈 (연속 기획물)
serioz'	심각한
serpent'	뱀
serur'	자물통

serv'	봉사하다
servic'	식기류 (한 벌의)
servut'	농노 신분
ses	[수사] 여섯 (6)
sever'	엄격한
sezon'	계절
si	[인칭대명사] 삼인칭 재귀대명사 (그 자신)
ŝi	[인칭대명사] 삼인칭 여성 (그녀)
sibl'	'쉿' 소리를 내다, 찢어지는 소리를 내다
sid'	앉아 있다
sieĝ'	포위하다
sigel'	도장 sigel'vaks' 밀봉하는 밀납
sign'	표시 post'sign' 흔적
signal'	신호
signif'	뜻하다
silab'	음절 silab'i 음절을 발음하다
ŝild'	방패, 보호장구, 간판
silent'	조용히 있다
silik'	부싯돌
silk'	비단, 실크
silur'	메기
silvi'	명금 (고운 목소리로 우는 새), 연작류
ŝim'	곰팡이가 끼다
simi'	원숭이
simil'	비슷한
simpl'	간단한
sincer'	성실한
ŝind'	너와
singult'	딸꾹질하다

sinjor'	남성 존칭 (- 씨, - 선생님)
ŝink'	햄
ŝip'	배 (바다의)
ŝir'	찢다
siring'	들정향나무속의 식물, 라일락의 일종
ŝirm'	덮다 (시선, 바람, 눈 등으로부터 보호 위해)
sirop'	시럽
sitel'	물통, 양동이, 두레박
situaci'	환경, 처지, 소재
skabi'	옴 (피부병)
skadr'	기병대대
skal'	스케일, 규모
skapol'	어깨뼈, 견갑골
skarab'	풍뎅이
skarlat'	진홍색
skarp'	스카프
skatol'	통, 상자
skerm'	검술을 하다 (펜싱)
skiz'	스케치, 소묘, 개요
sklav'	노예
skolop'	(새) 누른도요
skorbut'	괴혈병
skorpi'	전갈
skrap'	문질러 벗기다, 긁는 소리를 내다
skrib'	쓰다 (글을)
skrofol'	연주창 (병)
sku'	젓다, 흔들다
skulpt'	조각하다 skulpt'il' 조각도
skurĝ'	회초리, 채찍

skvam'	비늘
ŝlim'	진흙
ŝlos'	자물쇠로 잠그다 ŝlos'il' 열쇠, 자물쇠
ŝmac'	소리를 내어 키스하거나 밥을 먹다
smerald'	에메랄드 (보석)
ŝmir'	바르다 (기름, 가루 등을)
ŝnur'	줄, 끈
sobr'	맑은 정신의, 생활방식이 건전한
mal'sobr'	술이 취한, 방탕한
societ'	사회
sof'	소파
soif'	목말라 하다
sojl'	문턱
sol'	혼자의, 유일한
soldat'	군인
solen'	엄숙한 (예식)
solv'	해결하다
somer'	여름
son'	소리
sonĝ'	꿈꾸다
sonor'	울리다, 소리내다
son'serpent'	방울뱀
sopir'	갈망하다 (잃어버린 것에 대해)
sopran'	소프라노
sorb'	흡수하다
sorĉ'	마법을 걸다, 호리다, 매혹하다
sorik'	뾰족뒤쥐
sorp'	(식물) 마가목 씨
sort'	운명

ŝov'	밀다, 밀어 넣다
sovaĝ'	야생의, 거친
ŝovel'	삽으로 떠서 뿌리다
spac'	공간
spalir'	과수(果樹)를 받치는 시렁, 과수 시렁으로 받친 나무
ŝpar'	아끼다, 저축하다
spat'	스파 (벽개성(劈開性) 비금속 광물의 총칭)
spec'	종류
spegul'	거울
spert'	경험이 있는, 노련한
spez'	돈의 수납 el'spez' 지출하다 en'spez' 돈을 받다
spic'	양념
spik'	이삭
spin'	척추
ŝpin'	실을 잣다, 방적하다, 실을 잣는 듯한 소리를 내다
spinac'	시금치
spion'	스파이
spir'	숨쉬다
spirit'	영혼
spit'	대들다, 괴롭히다
spong'	스폰지, 해면
sprit'	재치있는
spron'	박차, 격려하는 것
ŝpruc'	(물을) 내뿜다
sput'	침을 뱉다
ŝrank'	장롱

ŝraŭb'	나사
stab'	참모진
stabl'	작업대
staci'	정거장, 역 staci'dom' 역사(驛舍)
stal'	가축의 우리
ŝtal'	강철
stamp'	우표
stan'	주석 (기호 Sn) stan'i 주석으로 입히다
standard'	단체를 상징하는 깃발
stang'	막대기
star'	서 있다
stat'	상태
ŝtat'	국가
steb'	틀바느질하다
stel'	별
ŝtel'	훔치다
step'	초원, 스텝
sterk'	거름, 비료
sterled'	철갑상어의 일종
stern'	펴다, 눕히다, 깔다
stertor'	숨넘어가는 소리, 깔딱질
stil'	스타일, 문체
stip'	잔디의 일종
ŝtip'	통나무 조각, 바보
stof'	옛날 러시아의 용량 단위 (1리터 조금 더 나감)
ŝtof'	옷감, 천
stomak'	위(胃)
ŝton'	돌

ŝtop'	가득 채우다, 메우다
strab'	곁눈질하다
strang'	이상한
strat'	거리
streĉ'	줄을 당기다, 압박하다, 스트레스를 주다, 힘을 주다
strek'	줄을 긋다 strek'o 줄 (연필 등으로 그은)
stri'	끈
strig'	올빼미
strik'	파업, 스트라이크
ŝtrump'	양말 (무릎까지 오는 긴 양말)
strut'	타조
student'	학생
stuk'	벽에 회칠을 하다
ŝtup'	계단 ŝtup'ar' 사다리, 층계
sturg'	철갑상어
sturn'	(새) 찌르레기
ŝu'	신발
sub	[전치사] – 아래에
subit'	갑작스러운
subjekt'	[문법] 주어
sublimat'	승화된 것
substantiv'	[문법] 명사
suĉ'	(입으로) 빨아들이다
sud'	남쪽
sufer'	–으로 고통을 당하다, 겪다
sufiĉ'	충분한
sufok'	숨을 못 쉬게 하다
suk'	과즙, 주스

sukcen'	호박 (보석)
sukces'	성공하다
suker'	설탕
ŝuld'	빚을 지다
sulfur'	황 (원소기호 S)
sulk'	고랑, 주름
ŝultr'	어깨
sum'	합계 re'sum' 요약하다, 정리하다
sun'	해 sun'flor' 해바라기
sup'	국
super'	[전치사] - 위쪽에 super'i 능가하다
super'akv'	홍수 나게 하다 super'flu' 넘쳐나는, 과잉
의 super'jar'	윤년
superstiĉ'	미신
supoz'	가정하다
supr'	위에 supr'o 위, 윗쪽 supr'aĵ' 표면, 거죽
sur	[전치사] - 위에
surd'	귀가 먼
surpriz'	놀라게 하다
surtut'	긴 외투
suspekt'	의심하다
ŝut'	뿌리다, 쏟아 내다, 덮어씌우다
svat'	청혼하다, 중매하다
ŝvel'	부풀다
sven'	기절하다
sving'	흔들다
ŝvit'	땀을 흘리다

T

tabak'	연초, 담배
taban'	말벌
tabel'	목록
tabl'	책상, 책상처럼 생긴 것
tabul'	판자
taĉment'	팀
taft'	호박단, 태피터 (직물)
tag'	날, 낮, 하루
tajlor'	재단사
taks'	평가하다
talent'	재능
tali'	허리
talp'	두더지
tambur'	북 tambur'i 북을 치다
tamen	[부사] 그렇지만
tan'	(가죽을) 무두질하다
tapet'	벽지
tapiŝ'	양탄자
tas'	잔, 컵
taŭg'	적당하다, —를 감당할 수 있다
tavol'	층, 켜
te'	차 (茶) te'kruĉ' 차 주전자 te'maŝin' 찻물을 끓이는 기계
ted'	지겹게 하다
teg'	덮어 씌우다, 도금하다 teg'o 덮어 씌움, 도금
tegment'	지붕 sub'tegment' 지붕 아래의 방
teks'	천을 짜다, 직조하다
teler'	접시

tem'	주제
temp'	시간, 때
tempi'	관자놀이
ten'	쥐고 있다　ten'il' 손잡이　de'ten' 멀리 하다, 방해하다　sub'ten' 지지하다
tend'	텐트
tenden'	힘줄
tent'	유혹하다
ter'	땅, 흙　en'ter'ig' 파묻다　ter'kol' 해협
ter'pom'	감자
teras'	테라스
terebint'	수지성 유제(乳劑)
termin'	술어, 전문용어
tern'	재채기하다
terur'	공포, 두려움
testament'	유언
testik'	고환
testud'	거북
tetan'	파상풍
tetr'	멧닭
tetra'	들꿩
tez'	논제, 논문
tia	[목록어] 그러한, 저러한
tial	[목록어] 그래서, 저래서
tiam	[목록어] 그 때에, 저 때에
tibi'	정강이뼈
tie	[목록어] 거기에, 저기에
tiel	[목록어] 그렇게, 저렇게
tigr'	호랑이

tikl'	간지럽히다
tili'	참피나무
tim'	두려워하다
timian'	꿀풀과의 백리향속(百里香屬) 식물
timon'	차량이나 마차 앞부분의 견인이나 말을 매기 위한 연결봉
tine'	옷좀나방
tint'	쇳소리를 내다
tio	[목록어] 그것, 저것
tiom	[목록어] 그만큼, 저만큼
tir'	잡아당기다　kun'tir' 가운데로 끌어당겨 모으다
titol'	호칭, 타이틀
tiu	[목록어] 그이, 저이, 그, 저
tol'	아마포　tol'aĵ' 아마포로 만든 것
toler'	참다
tomb'	무덤
tombak'	놋쇠, 황동
ton'	(음악) 톤
tond'	자르다 (가위로)　tond'il' 가위
tondr'	천둥치다
topaz'	토파즈, 황옥 (보석)
torĉ'	횃불
tord'	비틀다
torf'	토탄(土炭)
torn'	선반작업을 하다
tornistr'	백팩, 륙색
tort'	과일 파이, 케이크
tra	[전치사] ―을 통하여

trab'	들보
traduk'	번역하다
traf'	적중하다
traĥe'	기관, 호흡관
trajt'	특색, 특성, 얼굴 생김새
trakt'	협의하다, 취급하다, 다루다
tranĉ'	(칼로) 자르다, 베다 al'tranĉ' 정확하게 맞추어 자르다
trankvil'	평온한, 조용한
trans	[전치사] —을 넘어, 지나
tre	[부사] 아주
tref'	(카드놀이) 클로버
trem'	떨다
tremol'	사시나무 포플러
tremp'	적시다
tren'	끌다
trezor'	보물
tri	[수사] 셋 (3)
tribun'	연단
tri'foli'	달구지풀속(屬)의 일종
trik'	뜨다, 짜다 (털실로)
trikot'	털실로 짠 천이나 옷
tril'	트릴, 떤음, 전동음, 종달새의 지저귐
trink'	마시다
trip'	동물의 식용 내장
tritik'	밀
trivial'	저속한, 비천한, 야비한, 속된
tro	[부사] 너무
trog'	구유, 여물통

tromb'	토네이도, 물기둥
tromp'	속이다
tron'	왕좌
tropik'	열대지방, 남북 회귀선
trot'	말 등이 속보로 달리다
trotuar'	포장된 보도
tro'uz'	과용하다, 남용하다
trov'	발견하다
tru'	구멍
trud'	억지로 시키다
truf'	(식물) 송로(松露)의 일종
trul'	흙손
trumpet'	트럼펫
trunk'	줄기 trunk'et' 작은 줄기
trut'	송어
tualet'	화장, 세면을 위한 일체의 용품, 의복
tub'	관, 튜브
tuber'	부푼 것, 혹, 종기
tuf'	(머리카락, 깃털, 실 따위의) 술, 타래
tuj	[부사] 곧
tuk'	수건, 한 조각의 천
tul'	베일, 망사
tulip'	튤립
tumult'	소동, 폭동, 난리
tur'	탑
turban'	터번
turd'	개똥지빠귀
turkis'	터키석 (보석)
turment'	괴롭히다

turn'	돌리다
turnir'	중세기 축제 때 기사들의 시합, 큰 경기
turt'	(새) 호도애
tus'	기침하다
tuŝ'	건드리다, 만지다
tut'	전체의, 전부의, 모든

U

u	[어미] 동사 원망법(명령법) 어미
uj'	[접미사] 나라, 나무, 그릇을 나타냄 (보기: pom' 사과 / pom'uj' 사과나무 / cigar' 연초 / cigar'uj' 연초통 / Turk' 터키인 / Turk'uj' 터키)
ul'	[접미사] 어떤 특성을 가진 사람을 나타냄 (보기: bel' 아름다운 / bel'ul' 미남)
ulcer'	궤양, 종기
ulm'	느릅나무
uln'	큐빗 (길이), 팔꿈치에서 가운뎃손가락 끝까지의 길이
um'	[접미사] 특별히 정해진 뜻이 없음
umbilik'	배꼽
unc'	온스 (중량)
ung'	손톱 ung'eg' 포식 동물의 큰 발톱
uniform'	제복
univers'	우주, 만물
universitat'	대학
unu	[수사] 하나 (1)
ur'	들소의 일종 (유럽산)
urb'	도시 antaŭ'urb' 도시 외곽

urin'	방광
urn'	항아리, 물 항아리, 납골 단지
urogal'	유럽산 뇌조의 일종
urs'	곰
urtik'	쐐기풀, 가시가 많은 식물
us	[어미] 동사 가정법 어미
uter'	자궁
util'	유용한
uz'	사용하다
uzurp'	(지위, 권력, 재물 등을) 찬탈하다

V

vafl'	와플
vag'	헤매다, 돌아다니다
vagon'	열차의 칸 vagon'ar' 열차
vakcini'	월귤나무
vaks'	왁스, 초, 밀랍 vaks'tol' 한 면에 왁스를 칠한 천 sigel'vaks' 봉인용 왁스
val'	계곡
valiz'	여행용 가방
vals'	왈츠
van'	헛된
vang'	뺨 vang'har'o'j 구레나룻
vanil'	(식물) 바닐라, 바닐라 향
vant'	헛된
vapor'	증기
varb'	징모하다, 모집하다
variol'	천연두, 두창
varm'	더운, 따뜻한 mal'varm'um' 감기 걸리다

vart'	돌보다
vasal'	봉신(封臣), 부하
vast'	넓은, 광대한　　mal'vast' 좁은　　vast'ig' 넓히다
vat'	솜 (의료용), 와트 (전력의 크기)
vaz'	그릇, 용기
ve!	[감탄사] 슬플 때 내는 소리
veget'	식물처럼 생장(증식)하다, 식물인간처럼 살다
vejn'	정맥
vek'	깨우다
vekt'	저울대
vel'	돛
velen'	양피지보다 더 부드러운 송아지가죽으로 된 종이류
velk'	시들다
velur'	벨벳, 우단
ven'	오다　　de'ven' -의 후손(출신)이다, -로부터 오다
vend'	팔다
vendred'	금요일
venen'	독
venĝ'	-의 원수를 갚다
venk'	이기다
vent'	바람　　vent'um' 바람을 일으키다 (부채 등 으로)
ventol'	바람을 일으키다, 곡식을 까부르다
ventr'	배 (사람의)
ver'	진리, 진실
verb'	[문법] 동사

verd'	녹색의
verdigr'	녹청(綠靑), 푸른 녹
verg'	회초리, 휘어지는 나뭇가지나 막대기
verk'	짓다, 작품을 만들다
verm'	벌레
vermiĉel'	국수
vers'	운문, 시(詩)
verŝ'	붓다 (액체를)
verst'	옛 러시아의 거리 단위 (약 1,067미터)
vert'	정수리
vertebr'	척추골, 등뼈 (하나의 뼈)
vertikal'	수직의
veruk'	사마귀
vesp'	장수말벌
vesper'	저녁
vest'	옷을 입히다 vest'o 옷
vestibl'	현관, 로비
veŝt'	조끼
vet'	내기하다, 돈을 걸다
veter'	날씨
vetur'	(운송 수단을) 타고 가다, 운행되다
vezik'	물집, 기포
vezir'	고관 (옛 터키 제국의)
vi	[인칭대명사] 이인칭 (단수, 복수 동형) (당신, 당신들)
viand'	고기(肉)
viburn'	가막살나무속(屬)의 식물
vic'	차례
vid'	보다

vidv'	홀아비
vigl'	활기찬
vikari'	교구 목사
vil'	융모로 덮인
vilaĝ'	마을 vilaĝ'an' 마을 주민, 시골 사람
vin'	포도주 vin'ber' 포도 sek'vin'ber' 건포도
vinagr'	식초
vind'	(아기 등을)포대기로 감싸다, 상처를 싸매다
vintr'	겨울
viol'	바이올렛 (식물)
violon'	바이올린
violonĉel'	첼로
vip'	채찍
vipur'	독사
vir'	남자
virg'	처녀의 mal'virg'ig' 처녀성을 빼앗다
virt'	덕성, 미덕
virtuoz'	예술의 거장, 대가
viŝ'	닦다
vitr'	유리 okul'vitr' 안경
vitriol'	황산
viv'	살다
vizaĝ'	얼굴
vizier'	헬멧의 앞가리개, 모자의 챙
vizit'	방문하다
voĉ'	목소리
voj'	길
vojaĝ'	여행하다
vok'	부르다

vokal'	[문법] 홀소리, 모음
vol'	원하다
volont'	기꺼이
volum'	몇 권으로 이루어진 책의 각 권
volupt'	관능적인 쾌락
volv'	감싸다, 감다
vom'	구토하다
vort'	낱말
vost'	꼬리
vual'	면사포, 베일
vulkan'	화산
vulp'	여우
vultur'	독수리, 콘도르
vund'	부상시키다, 상하게 하다

Z

zebr'	얼룩말
zenit'	천정
zibel'	검은 담비
zingibr'	생강
zink'	아연 (기호 Zn)
zizel'	땅다람쥐
zon'	허리띠, 지역
zorg'	돌보다, 걱정하다 zorg'ant' 보호인
	zorg'at' 피보호인
zum'	(벌 등이) 웽웽거리다

(모두 2,615개의 어근)

편집자의 말

코로나19로 인해 움츠렸던 일상이 완전히 회복되었습니다. 한국에스페란토협회와 서울에스페란토문화원이 있는 충무로와 명동은 세계 각국에서 온 관광객으로 인산인해를 이룹니다.

여름 휴가철을 맞아 국내외 여행도 활성화하여 각종 에스페란토행사가 대면으로 많은 사람이 모여 성황리에 열립니다.

에스페란토 홍보와 문화 사업을 위해 2020년 세운 진달래 출판사가 벌써 4년째를 맞았습니다. 100권이 넘는 많은 책을 만들면서 에스페란토 저변 확대를 위해 힘을 쏟았습니다. 또한 많은 사람들의 버킷리스트인 책 출간의 기쁨을 함께 누리면서 행복한 시절을 보냈습니다.

율리안 모데스트 작가와 장정렬 번역가님, 이낙기 선생님의 역작을 책으로 내면서 행복한 책읽기와 유익한 글쓰기의 시간을 가졌습니다. 많이 팔리지는 않더라도 후손을 위해 필요한 책을 만든다는 사명감, 힘써 번역한 작가들의 작품을 그냥 묵히지 않겠다는 각오로 시작한 책중에서는 좋은 결과를 내기도 해서 보람을 느꼈습니다. 특별히 박기완 박사님이 수년간 힘들게 번역한 『처음 에스페란토』를 우리 출판사에서 책으로 냈는데 후속작으로 자멘호프 박사가 직접 쓴 에스페란토의 영원한 교과서, 불변의 규칙을 정리한 『에스페란토 규범』을 제헌절을 기해 출판합니다.

아무쪼록 많은 이들이 읽고 평등한 언어의 기쁨을 서로 나누기를 바랍니다.

- 진달래 출판사 대표 오태영

⟦ 진달래 출판사 간행목록 ⟧

율리안 모데스트의 에스페란토 원작 소설
- 에한대역본
  『바다별』(단편 소설집, 오태영 옮김)
  『사랑과 증오』(추리 소설, 오태영 옮김)
  『꿈의 사냥꾼』(단편 소설집, 오태영 옮김)
  『내 목소리를 잊지 마세요』(애정 소설, 오태영 옮김)
  『살인경고』(추리소설, 오태영 옮김)
  『상어와 함께 춤을』(단편 소설집, 오태영 옮김)
  『수수께끼의 보물』(청소년 모험소설, 오태영 옮김)
  『고요한 아침』(추리소설, 오태영 옮김)
  『공원에서의 살인』(추리소설, 오태영 옮김)
  『철(鐵) 새』(단편 소설집, 오태영 옮김)
  『인생의 오솔길을 지나』(장편소설, 오태영 옮김)
  『5월 비』(장편소설, 오태영 옮김)
  『브라운 박사는 우리 안에 산다』(희곡집, 오태영 옮김)
  『신비로운 빛』(단편 소설집, 오태영 옮김)
  『살인자를 찾지 마라』(추리소설, 오태영 옮김)
  『황금의 포세이돈』(장편 소설집, 오태영 옮김)
  『세기의 발명』(희곡집, 오태영 옮김)
  『꿈속에서 헤매기』(단편 소설집, 오태영 옮김)
  『욤보르와 미키의 모험』(동화책, 장정렬 옮김)

- 한글본
  『상어와 함께 춤을 추는 철새』(단편소설집, 오태영 옮김)
  『바다별에서 꿈의 사냥꾼을 만나다』(단편소설집, 오태영 옮김)
  『바다별』(단편소설집, 오태영 옮김)
  『꿈의 사냥꾼』(단편소설집, 오태영 옮김)

클로드 피롱의 에스페란토 원작 소설
- 에한대역본
『게르다가 사라졌다』(추리소설, 오태영 옮김)
『백작 부인의 납치』(추리소설, 오태영 옮김)

장정렬 번역가의 에스페란토 번역서
- 에한대역본
『파드마, 갠지스 강가의 어린 무용수』(Tibor Sekelj 지음)
『테무친 대초원의 아들』(Tibor Sekelj 지음)
『대통령의 방문』(예지 자비에이스키 지음)
『국제어 에스페란토』(D-ro Esperanto 지음, 이영구. 장정렬 공역, 진달래 출판사, 2021년)
『황금 화살』(ELEK BENEDEK 지음)
『알기쉽도록 〈육조단경〉 에스페란토-한글풀이로 읽다』(혜능 지음, 왕숭방 에스페란토 옮김, 장정렬 에스페란토에서 옮김)
『침실에서 들려주는 이야기』(Antoaneta Klobučar 지음, Davor Klobučar 에스페란토 역)
『공포의 삼 남매』(Antoaneta Klobučar 지음, Davor Klobučar 에스페란토 역)
『우리 할머니의 동화』(Hasan Jakub Hasan 지음)
『얌부르그에는 총성이 울리지 않는다』(Mikaelo Brostejn 지음)
『청년운동의 전설』(Mikaelo Brostejn 지음)
『푸른 가슴에 희망을』(Julio Baghy 지음)
『반려 고양이 플로로』(크리스티나 코즈로브스카 지음, 페트로 팔리보다 에스페란토 옮김)
『민영화도시 고블린스크』(Mikaelo Brostejn 지음)
『마술사』(크리스티나 코즈로브스카 지음, 페트로 팔리보다 에스페란토 옮김)

『세계인과 함께 읽는 님의 침묵』(한용운 지음)
『세계인과 함께 읽는 윤동주시집』(윤동주 지음)

- 한글본
『크로아티아 전쟁체험기』(Spomenka Ŝtimec 지음)
『희생자』(Julio Baghy 지음)
『피어린 땅에서』(Julio Baghy 지음)
『사랑과 죽음의 마지막 다리에 선 유럽 배우 틸라』
(Spomenka Ŝtimec 지음)
『상징주의 화가 호들러를 찾아서』(Spomenka Ŝtimec 지음)
『무엇때문에』(Friedrich Wilhelm ELLERSIE 지음)
『밤은 천천히 흐른다』(이스트반 네메레 지음)
『살모사들의 둥지』(이스트반 네메레 지음)
『메타 스텔라에서 테라를 찾아 항해하다』(이스트반 네메레
지음)
『파드마, 갠지스 강의 무용수』(Tibor Sekelj 지음)
『대초원의 황제 테무친』(Tibor Sekelj 지음)

이낙기 번역가의 에스페란토 번역서
- 에한대역본
『오가이 단편선집』(모리 오가이 지음, 데루오 미카미 외 3인
에스페란토 옮김)
『체르노빌1, 2』(유리 셰르바크 지음)

기타 에스페란토 관련 책
- 에한대역본
『에스페란토 직독직해 어린 왕자』(생 텍쥐페리 지음, 피에르
들레르 에스페란토 옮김, 오태영 옮김)
『에스페란토와 함께 읽는 이방인』(알베르 카뮈 지음, 미셸 뒤

고니나즈 에스페란토 옮김, 오태영 옮김)
『자멘호프 연설문집』(자멘호프 지음, 이현희 옮김)
『에스페란토와 함께 읽는 논어』(공자 지음, 왕숭방 에스페란
토 옮김, 오태영 에스페란토에서 옮김)
『우리 주 예수의 삶』(찰스 디킨스 지음, 몬태규 버틀러 에스
페란토 옮김, 오태영 에스페란토에서 옮김)
『진실의 힘』(아디 지음, 오태영 옮김)

- 한글본
『안서 김억과 함께하는 에스페란토 수업』(오태영 지음)
『인생2막 가치와 보람을 찾아』(수필집, 오태영 지음)
『에스페란토의 아버지 자멘호프』(이토 사부로 지음, 장인자
옮김)
『사는 것은 위험하다』(이스트반 네메레 지음, 박미홍 옮김)
『자멘호프의 삶』(에드몽 쁘리바 지음, 정종휴 옮김)

- 에스페란토본
『Pro kio』(Friedrich Wilhelm ELLERSIE 지음)
『Enteru sopirantan kanton al la koro』(오태영 지음)
『Kumeŭaŭa, la filo de la ĝangalo』(Tibor Sekelj 지음)